José Eduardo de Siqueira

L'éducation à la bioéthique

ScienciaScripts

Imprint

Any brand names and product names mentioned in this book are subject to trademark, brand or patent protection and are trademarks or registered trademarks of their respective holders. The use of brand names, product names, common names, trade names, product descriptions etc. even without a particular marking in this work is in no way to be construed to mean that such names may be regarded as unrestricted in respect of trademark and brand protection legislation and could thus be used by anyone.

Cover image: www.ingimage.com

This book is a translation from the original published under ISBN 978-613-9-62183-5.

Publisher:
Sciencia Scripts
is a trademark of
Dodo Books Indian Ocean Ltd. and OmniScriptum S.R.L publishing group

120 High Road, East Finchley, London, N2 9ED, United Kingdom
Str. Armeneasca 28/1, office 1, Chisinau MD-2012, Republic of Moldova, Europe

ISBN: 978-620-7-27451-2

Éducation à la bioéthique

Jose Eduardo de Siqueira*

PRÉFACE :

Ce fascicule rassemble deux chapitres de livre sur la bioéthique clinique publiés respectivement en 2008 et 2016, le premier par Editora Gaia de Sao Paulo et le second par le Conseil fédéral de médecine, à l'occasion du XIe Congrès brésilien de bioéthique, du IIIe Congrès brésilien de bioéthique clinique et de la IIIe Conférence internationale sur l'enseignement de l'éthique, qui se sont tenus en septembre 2015 dans le District fédéral. Nous avons participé à ces deux travaux en tant qu'organisateurs. Les publications ont été très bien accueillies par les professeurs d'université dans le domaine de la santé, ce qui nous a montré le grand intérêt académique pour le sujet. La bioéthique est un nouveau domaine de connaissance qui a été incorporé dans le programme des cours de médecine pour répondre à une recommandation du ministère de l'éducation de former des professionnels avec un plus grand engagement social et la capacité de maintenir un dialogue respectueux avec les patients qui sont des utilisateurs du système de santé unifié.

Nous saluons l'initiative actuelle de Novas Edigoes Academicas, qui vise à diffuser la bioéthique auprès d'un public plus large que les seuls universitaires.

Jose Eduardo de Siqueira, mai 2018

---

* Jose Eduardo de Siqueira : Docteur en médecine de l'université d'État de Londrina (UEL), master en bioéthique de l'université du Chili, professeur titulaire de médecine à l'université catholique pontificale du Paraná (PUCPR), professeur de fondements de la bioéthique et de bioéthique clinique dans le programme de troisième cycle en bioéthique de la PUCPR, Membre titulaire du conseil d'administration de l'Association internationale de bioéthique (IAB) (2009-2013), président de la Société brésilienne de bioéthique (SBB) (2005-2007), membre titulaire de l'Académie de médecine du Paraná.

1 LA FIN DU PATERNALISME MÉDICAL

Bernard Lown, disciple de Samuel Levine, l'un des cardiologues les plus éminents du 20e siècle, a affirmé, sur la base d'une solide expérience de plus de 40 ans de pratique professionnelle, que les médecins avaient désappris l'art de guérir. En effet, la médecine n'a jamais autant progressé dans le diagnostic et le traitement des maladies les plus diverses qu'au cours du siècle dernier, mais jamais l'être humain malade ne s'est senti aussi éloigné de l'attention du médecin. Dans son livre *"The Lost Art of Healing"*, Lown déplore l'importance exagérée que les écoles de médecine accordent à la formation des professionnels pour qu'ils deviennent, selon ses termes, "des responsables scientifiques et des gestionnaires de biotechnologies complexes", au mépris du véritable art d'être médecin. Il a rappelé que la véritable "sagesse médicale" est la capacité à comprendre un problème clinique non pas en termes d'organe, mais en termes d'être humain dans sa globalité et, en fin de compte, il a dénoncé : *"(...) on cherche le médecin avec la bonne personne".) "nous recherchons le médecin avec lequel nous nous sentons à l'aise lorsque nous décrivons nos plaintes, sans craindre d'être soumis à de nombreuses procédures ; le médecin pour lequel le patient n'est jamais une statistique (...) mais, avant tout, un semblable dont le souci du patient est animé par la joie de servir (...)"* (LOWN, B.1997).). De manière équivalente, la thèse selon laquelle toutes les affections du patient peuvent être identifiées par la technologie est toujours d'actualité. Nous avons fait des progrès extraordinaires dans notre connaissance des maladies, en oubliant l'être humain malade et en commençant à traiter les maladies des personnes plutôt que les personnes qui se trouvent être malades. On apprend aux jeunes étudiants à utiliser des appareils et à lire d'innombrables variables biologiques, mais on ne leur apprend pas à reconnaître l'être humain en tant qu'unité biopsychosociale et spirituelle.

Rozenman a raconté la "via crucis" d'un patient âgé ayant subi un pontage aorto-coronarien et qui, à la fin de la période postopératoire, a commencé à souffrir de fièvre et d'anémie. Admis dans un hôpital américain de renom, il a été examiné par une équipe de spécialistes compétents et a subi de nombreuses procédures sémiologiques, notamment une endoscopie gastro-intestinale supérieure, une coloscopie et une tomodensitométrie de la colonne vertébrale suivie d'une biopsie de la colonne vertébrale. Les soupçons diagnostiques allaient du myélome multiple au cancer avec métastases dans la colonne vertébrale, jusqu'à ce qu'un examen physique adéquat identifie la présence d'un souffle systolique important dans le foyer mitral et que le diagnostic d'endocardite infectieuse soit finalement établi et confirmé par une hémoculture identifiant *Staphylococcus epidermidis* comme l'agent étiologique. L'auteur attire l'attention sur le parcours tortueux suivi pour établir le diagnostic définitif, en montrant que les innombrables spécialistes appelés à donner leur avis sur la maladie l'ont fait après des investigations longues et approfondies "dans leurs domaines de connaissances spécifiques", au mépris de l'enseignement médical le plus élémentaire qui reconnaît le corps humain comme une unité complexe composée d'organes et de systèmes qui interagissent de manière continue et ininterrompue. Il n'y a pas un seul stimulus provenant de l'environnement extérieur qui ne soit perçu par le système nerveux central, immédiatement transmis à tous les autres systèmes organiques et qui n'aboutisse à l'expression d'un sentiment humain (ROZENMAN, Y., 1997).

La recherche de la "Grande Santé" imaginée par Sfez dans l'utopie mondialisée du XXIe siècle semble indiquer une société structurée selon les règles de l'objectivité scientifique la plus extrême où *"personne ne pleurera la mort du médecin, ni celle du destin, ni même celle de l'âme, une autre vieillesse, remplacée par une entité collective".* (SFEZ,L., 1996.) Face à la substitution croissante du raisonnement clinique à l'information fournie par les équipements sophistiqués de la technologie biomédicale actuelle, il convient de se demander si, à un moment donné, les professionnels de la santé ne seront pas dispensés de prendre des décisions cliniques. Il existe déjà des programmes disponibles sur d'innombrables plateformes virtuelles qui permettent l'interaction entre l'observateur et la machine, de manière à rendre possible la réalisation de diagnostics accompagnés d'approches thérapeutiques, qui ne nécessitent plus aujourd'hui de consultation médicale. Si les connaissances scientifiques sont entièrement stockées dans des machines, ne suffirait-il pas que les utilisateurs accèdent à ces sources virtuelles pour obtenir des solutions à leurs problèmes de santé ? Peut-on faire abstraction de la recherche incessante d'informations médicales sur le désormais célèbre Dr Google ? Pourtant, chaque professionnel de la santé sait par expérience qu'une maladie n'est pas susceptible de se manifester exclusivement dans la sphère organique ou psychique, sociale ou familiale, car il reconnaît qu'elle sera toujours à la fois organique et psychique, sociale et familiale, une condition qui ne pourra jamais être détectée par une machine dotée d'une intelligence artificielle. De plus, lorsqu'un patient consulte un médecin, il recherche invariablement des soins qui ne se limitent pas à l'élimination d'un mal circonstanciel. La relation médecin-patient ne cessera jamais d'être un exercice intersubjectif vécu à deux - professionnel de santé et patient - qui ne sera efficace que s'il est mené dans l'acceptation, l'écoute active, le dialogue respectueux et l'espoir d'une guérison pour le malade.

Les symptômes qui amènent un patient à consulter comportent toujours une part importante de mystère. Qu'est-ce qui se cache derrière ce mal de tête persistant ou cette douleur thoracique chez ce jeune banquier ? Si la tension artérielle constatée à l'examen physique est de 150 x 100, est-ce suffisant pour diagnostiquer une hypertension ? La prescription d'un médicament hypotenseur dans le but de corriger le niveau anormal de pression observé suffit-elle pour considérer que le traitement a été effectué ? Les symptômes sont des messages qu'il faut décoder. Le modèle réductionniste de la médecine cartésienne a concrétisé l'improbable linéarité entre les symptômes physiques, les anomalies de la pression artérielle et la maladie hypertensive. Une bonne anamnèse peut révéler que la cause réelle des maux de tête et de l'hypertension se trouve dans l'environnement professionnel stressant, de sorte que la prescription d'hypotenseurs est une pratique maléfique et inappropriée. Le bon remède serait d'accueillir le jeune et, par une écoute active, de le comprendre comme une personne rendue vulnérable par un environnement de travail stressant. Il serait cependant déraisonnable de le soumettre à une investigation extensive et coûteuse à la recherche de l'identification d'une pathologie organique justifiant la présence d'une hypertension. Il s'agit là d'un art muet qui consiste à reconnaître une maladie uniquement à travers des signes physiques. Le médecin qui fait cela mérite sans doute d'être remplacé par le Dr Google. Ce modèle de médecine est très éloigné de celui proposé par Gaillard pour l'action des professionnels de santé au 21ème siècle. L'auteur indique six étapes nécessaires pour les caractériser. La première serait l'accueil, suivie de l'anamnèse et de l'examen physique. Les trois dernières étapes sont le diagnostic, la prescription et la séparation. Le plus grand obstacle à l'accomplissement de ces étapes, outre la formation cartésienne, apparaît clairement dans les propos indignés des médecins français entendus par le chercheur : "Devant la modicité de nos honoraires, croyez-vous vraiment que nous puissions trouver le temps pour toutes ces choses ?". (GAILLARD, J.R., 1995).

Malheureusement, les soins médicaux pratiqués aujourd'hui témoignent d'une réalité cruelle qui peut se résumer ainsi : s'occuper du patient dans les plus brefs délais, prescrire n'importe quel médicament et se débarrasser au plus vite de cet engagement inconfortable et sous-payé. Le professionnel et le patient, si proches physiquement et si éloignés affectivement, se regardent à peine et ne se touchent pas. En fait, ils ne se respectent même pas. C'est ainsi que se pratique le modèle de soins le plus pervers : aveugle et sourd. Sourd parce que le patient n'est pas accueilli en tant que personne et n'est même pas entendu. Aveugle parce qu'en se limitant à comprendre la maladie uniquement comme l'expression de variables biologiques mises en évidence par des tests subsidiaires, il ne reconnaît pas le patient en tant qu'être biographique. Une étude réalisée pour évaluer la relation médecin-patient dans les services de santé publics et privés de la ville de Londrina a révélé le stade de cette véritable catastrophe relationnelle. Au total, 647 patients ont été interrogés, dont 324 usagers du système de santé unifié (SUS) et 323 de l'assurance maladie privée. Les résultats pour les patients du système de santé public ont montré que : a) les patients ont passé plus de 90 minutes dans la salle d'attente avant d'être vus par un médecin : 171

(53,1%) ; b) les usagers n'ont pas été appelés par leur nom pendant la consultation : 105 (32,6%) ; c) la consultation a duré moins de 10 minutes : 223 (69,9%) ; d) les patients n'ont pas subi d'examen physique : 97 (30,2%) (SIQUEIRA, J.E., 2005).

Le lien entre le professionnel et le patient qu'imposent les augmentations de santé doit être le résultat de deux mouvements complémentaires. Le patient qui cherche le professionnel et l'accueil qu'il doit lui réserver. L'un et l'autre sont qualitativement distincts, mais Hippocrate a trouvé un mot pour les décrire : *"philia"*, *que l'*on peut traduire par amitié, amour, solidarité et compassion. Pour Lain Entralgo, ce sentiment doit nécessairement être présent dans tout soin médical. À cette fin, il rappelle les paroles du grand clinicien espagnol Gregorio Maranon : *"Je n'ai jamais eu, dans toute sa transcendance, une idée de la valeur de l'élément constitutionnel en médecine, comme lorsque j'ai lu mes premières histoires cliniques : celles recueillies avec tant de détails, mais avec une méthode si pauvre, dans les dernières années des études de médecine et dans les premières années de la vie professionnelle et hospitalière. Ils décrivaient les symptômes, les analyses (chimiques et bactériologiques) et, parfois, les lésions, c'est-à-dire la maladie ; mais le patient n'était pas là. Pas une seule mention de ce qu'était la personne qui soutenait la maladie..."* (ENTRALGO, P.L,.1986)

Le 20e siècle a connu le développement le plus extraordinaire de la technologie biomédicale, tout en réduisant paradoxalement la crédibilité des médecins. Les patients font confiance à la technologie et se méfient des professionnels. De même qu'ils valorisent les informations fournies par les équipements, ils sous-estiment la capacité des médecins à poser des diagnostics précis. Si l'on ajoute à cela la présence croissante de sociétés d'enseignement privées à but lucratif, d'institutions guidées exclusivement par des intérêts financiers, le résultat final est le chaos qui règne dans les soins de santé dans notre pays. Un appareil de formation précaire, des diplômés peu soucieux de leurs responsabilités sociales et des salaires professionnels peu élevés sont les ingrédients supplémentaires du repas indigeste offert par le système de santé brésilien.

Comment retrouver la véritable *"philia"* hippocratique dans une société qui sous-estime l'exercice du principe d'altérité dans la pratique médicale ? Lain Entralgo propose trois principes fondamentaux pour rapprocher le médecin et le patient dans une relation plus harmonieuse : a) Principe de la compétence technique maximale : le professionnel doit avoir une formation technique approfondie qui lui permette d'utiliser judicieusement tous les instruments qu'offre la technoscience ; b) Principe du travail bien fait : le médecin doit utiliser ses capacités intellectuelles et ses connaissances techniques avec pour seul guide le bien du patient ; c) Principe de l'authenticité du bien : dans les situations de conflit moral, le professionnel doit respecter l'intérêt authentique du patient en fonction des valeurs exprimées par ce dernier. (ENTRALGO,P.L., 1983). Il est clair qu'il existe une relation étroite entre la feuille de route suggérée par Entralgo et les quatre piliers de la formation des professionnels pour le 21e siècle, tels que proposés par l'UNESCO : apprendre à connaître, apprendre à faire, apprendre à être et apprendre à vivre ensemble (CIRET-UNESCO, 1997).

Le chemin est encore long pour atteindre ce niveau, mais voyons : en 1996, le Conseil Fédéral de Médecine (C.F.M.), la Fédération Nationale des Médecins, l'Association Médicale Brésilienne et la Fondation Oswaldo Cruz ont publié un document intéressant intitulé : "Profil des médecins au Brésil". Le volume IV sur les données collectées dans l'état de Paraná montre les résultats suivants : a) 68,4% des médecins ont trois emplois, tandis que 31,6% ont quatre emplois ou plus ; b) 88,1% dépendent pour leur subsistance personnelle et/ou familiale de maigres revenus provenant d'accords avec des entreprises de santé, de la médecine de groupe ou des coopératives médicales ; c) 82,8% déclarent souffrir d'épuisement physique et mental sévère dans l'exercice de leur profession ; d) 65,5% sont en faveur de grèves dans la catégorie, 5,3% estimant que même les soins d'urgence devraient être suspendus dans cette circonstance. Voici les derniers mots du document : *"Dans ce scénario défavorable pour les médecins, l'avenir de la profession est perçu par la majorité avec un fort sentiment négatif, reflétant le mécontentement et le manque de perspectives professionnelles qui se présentent aujourd'hui aux médecins brésiliens".* (PERFIL DOS MEDICOS NO BRASIL, 1996). Suite à ces références inquiétantes, la C.F.M. a organisé l'année suivante le "Séminaire international sur la profession médicale". A l'occasion de cet événement, le Président de l'Association Médicale Brésilienne a déclaré : *"(...) La qualité des soins a également été un autre point important mis en évidence. Qu'est-il arrivé aux médecins dans tout le Brésil au cours des deux ou trois dernières années ? Dans la mesure où il a pu assister à dix rendez-vous pour ce qui était théoriquement encore un bon prix à l'époque, et qui est maintenant complètement dévalué, le médecin a choisi une alternative beaucoup plus confortable pour lui : il ne réagit pas, il ne dit pas qu'il n'assistera pas, il a donc préféré doubler le nombre de rendez-vous avec les compagnies d'assurance maladie afin d'avoir un résultat financier adéquat. En conséquence, la qualité baisse. Il est impossible qu'un médecin qui reçoit normalement dix patients puisse en recevoir vingt en une heure. Cela a un impact direct sur la qualité [du service fourni]"* (SEMINARIO INTERNACIONAL-PROFISSAO MEDICA, 1997). En 1998, la C.F.M. a publié "Os medicos e a Saude no Brasil" ("Les médecins et la santé au Brésil"), où l'on peut lire ce qui suit : *"Qu'il s'agisse d'un résultat ou d'un facteur générateur de la crise, peu importe, le fait est que le processus de formation des médecins dans la société contemporaine est confronté à d'immenses défis. Les fondements technologiques de la pratique, véritable pilier de la formation médicale aujourd'hui, sont confrontés au dilemme d'être peu profitables à la majorité de la société, qui n'y a pas accès ou n'en bénéficie que de façon marginale. L'appel à l'individualisme, fondé sur la relation médecin-patient inspirée du serment d'Hippocrate et générant un modèle artisanal de prestation de services sans doute efficace dans le passé, est devenu un véritable anachronisme. La médecine contemporaine est fortement intermédiée en termes institutionnels, bureaucratiques et économiques et les facultés de médecine ne semblent pas en être conscientes, menant leurs activités d'enseignement et de soins comme si les temps étaient encore différents".* (OS MEDICOS E A SAUDE NO BRASIL, 1998) Ces données extraites d'enquêtes menées par la C.F.M. pendant trois années consécutives sont éloquentes. D'autres études réalisées au cours de ce siècle montrent des résultats similaires, voire plus inquiétants. La recherche de solutions atypiques telles que le programme "Mais Medicos" (plus de médecins), qui proposait de former davantage de professionnels pour répondre à la faible demande des municipalités manquant de médecins, s'est avérée fallacieuse. Une étude récente menée par des chercheurs de l'université de São Paulo (USP), parrainée par la CFM, a montré qu'il n'y avait pas eu de changement significatif dans la répartition des médecins entre les différentes régions du pays. (SCHEFFER, M. 2018)

La justification est assez simple et peut se résumer au simple fait que des conditions minimales doivent être mises en œuvre dans les municipalités manquant de professionnels, afin que l'exercice de la médecine devienne possible. Comment sera-t-il possible d'exercer la médecine si le médecin ne dispose pas d'une infrastructure hospitalière minimale adéquate ou d'un laboratoire d'analyses cliniques capable d'effectuer les tests de base pour soutenir les procédures diagnostiques et thérapeutiques ? C'est la question que le gouvernement fédéral n'a pas posée ou n'a pas voulu aborder avant le lancement du programme officiel, préférant adopter une solution simpliste qui n'a pas les bases nécessaires pour la concrétiser. D'autre part, si le processus de mondialisation est inévitable et que nous nous dirigeons rapidement vers la réalité cynique de l'État minimal, où règnent la loi du marché libre et la règle du "sauve qui peut", il est du devoir des responsables de préserver un minimum de moralité. Si le gouvernement central choisit d'autres priorités et décide de se soustraire à des responsabilités fondamentales telles que la sécurité, l'éducation et la santé, les professionnels de la santé ne peuvent manquer d'identifier et de dénoncer clairement qui sont les auteurs et les victimes de cette société qui mondialise les pertes et privatise les profits. Peu de professions jouissent du privilège de pouvoir partager et atténuer la douleur et la souffrance humaine comme les professionnels de la santé. Les soins aux malades ne peuvent donc jamais être animés par une attitude d'irrespect ou de désaffection, car le protagoniste de ces soins est un être humain qui ne peut être traité comme un objet, car il est une fin en soi et doté de dignité. Cet être, que Boff qualifie de sacré, sujet de l'histoire personnelle et élément essentiel de la construction d'une société plus humaine, est capable de vivre et de dialoguer avec les mystères du monde, s'interroge sur le sens ultime de la vie et communie avec les autres, voyant en eux l'image du Créateur. L'essence de l'action de l'être humain doit donc toujours être orientée vers le soin. (BOFF, L., 1999 a)

Face aux difficultés signalées, il est clair que l'art de la bientraitance a été déqualifié. D'autre part, il est essentiel de reconnaître que l'individu et le collectif font partie de la même réalité, ils sont les membres articulés d'un même corps. Les êtres humains et la société sont des entités inséparables. Ils répondent aux mêmes stimuli et, en même temps, souffrent des mêmes maux.

Si nous adoptons les règles du marché libre comme guide, la recherche incessante d'avantages personnels, la logique de l'accumulation de biens et le mépris des autres prévaudront. Ainsi, les êtres humains, la faune, la flore et toutes les richesses qui nous entourent perdent leur valeur intrinsèque et deviennent des produits à vendre sur une immense place de marché. Au passage, nous pouvons souligner certains des dommages irréversibles que ce modèle impose à la vie sur la planète, rien qu'en considérant les données fournies par la Commission mondiale de l'environnement de l'ONU en 1992. À l'époque, on estimait que chaque année, 6 millions d'hectares de terres productives étaient transformés en désert, ce qui signifiait la perte d'une superficie équivalente au territoire de l'Arabie saoudite tous les 30 ans. Chaque année, plus de 11 millions d'hectares de forêts étaient détruits, ce qui correspondait à la perte de la superficie de l'Inde tous les 30 ans (SIQUEIRA, J.E., 1998).

Le scientifique américain Kennet Baoulding a qualifié le modèle économique capitaliste de "cow-boy", fondé sur l'abondance apparemment illimitée de ressources et de territoires à exploiter et à envahir selon la règle baconienne de l'asservissement de la nature et de sa mise au service de l'homme, ce qui constitue un anthropocentrisme irresponsable et prédateur. (BOFF,L., 1999 b) La logique du marché est orientée vers la compétition et non vers la coopération. Il est tout et tous les problèmes de la société doivent y être résolus. Ce fondamentalisme donne une place centrale au capital financier opportuniste et spéculatif, qui ruine les économies des pays émergents et rend impossible une vie authentiquement humaine. Quel est le rapport avec la santé humaine, sujet de cet essai ? Les données de l'Organisation mondiale de l'enfance en 1998 montrent qu'environ 250 millions d'enfants travaillent dans des conditions insalubres, dont beaucoup ont moins de cinq ans. En Amérique latine, 3 enfants sur 5 travaillaient ; en Afrique, 1 sur 3 ; en Asie, 1 sur 2. Le XXIe siècle, qui s'éveillait, nous a montré des indices d'injustice sociale similaires, voire pires, que ceux présentés jusqu'à présent (BOFF, L., 2001).

Si l'on considère le microcosme que représente l'être humain, on se rend compte que le long règne du cartésianisme dans la science a banni le qualitatif de la vie et imposé le quantitatif. Selon Max Weber, la dernière étape de l'amélioration de ce modèle est représentée par "des *spécialistes sans esprit, des sensualistes sans coeur, et cette nullité s'imagine qu'elle a atteint un niveau de civilisation qui n'a jamais été atteint auparavant".* (RIEFF,P., 1990)

Tous les professionnels de la santé reconnaissent qu'il n'y a pas de maladie qui se manifeste en dehors d'un tempérament personnel, d'expériences et de vécus et même si elle se présente avec une physionomie similaire dans son ensemble, ses traces apparaissent toujours dans les détails, les couleurs singulières de l'être humain biographique. Pour reprendre les termes de Foucault, "*le malade est la maladie qui a acquis des traits singuliers, donnés avec ombre et relief, modulations, nuances, profondeur, et la tâche du professionnel de santé, lorsqu'il décrira la maladie, sera de reconnaître cette réalité vivante".* (FOUCAULT, M., 1998). Chaque personne tombe malade à sa manière, indépendamment de la manière dont les professionnels de la santé la classent dans telle ou telle catégorie nosologique. Chaque traitement doit être unique dans la construction interpersonnelle médecin-patient. Lain Entralgo décrit le sentiment d'identité du patient en tant qu'être humain intégral comme suit : "*C'est mon corps vivant qui pense, veut et ressent".* (ENTRALGO, P.L., 1996)

Pour les spécialistes qui ne perçoivent comme réel que leur domaine de connaissance, c'est-à-dire le territoire restreint de leur savoir, il est impératif de tenir compte de l'avertissement de Marcuse, qui décrivait l'homme unidimensionnel comme celui qui se spécialise dans une seule langue et ne perçoit le monde qu'à travers elle.

Pour lui, l'expert, *"le monde n'est que ce que les jeux de sa langue enregistrent comme vrai. Le reste est irréel".* (MARCUSE, H., 1964). Dans le monde réel, les gens jouent à de nombreux jeux simultanément : jeux d'amour, jeux de pouvoir, jeux de connaissance, jeux de plaisir, jeux de faire, jeux de jouer, jeux de séduction et même jeux de tomber malade. La vie est ainsi faite qu'elle est une suite infinie de jeux. La percevoir autrement, c'est ignorer ce qu'elle a de plus essentiel (ALVES, R., 2001).

2 ENTRE L'ÉTHIQUE DE LA VERTU ET L'ÉTHIQUE DU DEVOIR

Il est essentiel de reconnaître que le 20ème siècle a connu des changements substantiels dans la relation médecin-patient. La première moitié du siècle dernier a été marquée par le modèle classique de l'éthique de la vertu, dans lequel le professionnel, vraisemblablement doté d'un savoir et d'une vocation incontestables, déterminait les lignes directrices des soins à apporter aux malades. Ces derniers, à leur tour, obéissaient passivement aux ordres qui leur étaient imposés par les médecins. Il s'agit d'une relation interpersonnelle asymétrique et verticale, dans laquelle une personne ayant reçu une éducation vertueuse dispose d'un pouvoir suffisant pour imposer des décisions aux autres. À partir des années 1960, le patient a commencé à prendre le statut de sujet doté de la capacité de prendre les décisions qui lui conviennent le mieux, et le rôle de prestataire de services a été réservé au professionnel de la santé. Dès lors, l'éthique de la vertu a cessé de prévaloir et l'éthique du devoir, engagée à offrir des soins techniquement corrects, a pris de l'importance. Dans le modèle classique, le professionnel vertueux possédait la perfection morale par nature. C'est ainsi qu'est né un célèbre aphorisme hippocratique : "Là où il y a de l'amour pour les malades (*philanthropie*), il y a aussi de l'amour pour l'art (*philotekhnie*)". Le principe de bienfaisance a donc prévalu en tant qu'expression de la pratique naturelle de l'éthique de la vertu. C'est ainsi que le monde occidental l'a compris pendant plus de vingt siècles. À cette fin, il suffit de se tourner vers le serment d'Hippocrate, prononcé encore aujourd'hui par les diplômés en médecine, où la recherche de la perfection morale s'identifie aisément aux règles d'une morale privée pour les médecins : "Je jure par Apollon le médecin, par Asclépios, Hygie et Panacée, ainsi que par tous les dieux et déesses, d'accomplir (....) selon mon jugement le serment(...) Je l'enseignerai à mes enfants et aux enfants de mes maîtres et à personne d'autre(...) Si je remplis fidèlement ce serment, je jouirai de ma vie et de mon art avec une bonne réputation parmi les hommes, et pour toujours ; mais si je m'en écarte ou si je le viole, c'est le contraire qui m'arrivera."

Le nouveau paradigme, en revanche, subordonne les décisions professionnelles aux droits des patients et est donc guidé par l'éthique du devoir, où l'autonomie du patient prévaut dans les décisions relatives aux approches diagnostiques et thérapeutiques à adopter pour son propre corps, de sorte qu'il est devenu essentiel de reconnaître que les droits des patients prévalent sur les propositions faites par les médecins. Une relation contractuelle a donc été établie dans laquelle les professionnels offriraient leurs connaissances et leurs compétences techniques et le patient, après avoir reçu les informations appropriées, prendrait de manière autonome les décisions qui le satisferaient le plus. Ce passage du modèle de l'éthique de la vertu à celui de l'éthique du devoir n'a pas encore été suffisamment assimilé par les acteurs impliqués dans cette relation. La substitution d'une orientation paternaliste à une prise de décision autonome par le patient a eu pour effet secondaire de judiciariser la relation entre le médecin et le patient, transformant les professionnels de la santé en prestataires de services et donc soumis aux demandes légales des patients lorsqu'ils ne sont pas satisfaits de la qualité des services fournis. En minimisant le pouvoir de décision des professionnels, les partisans de l'autonomie totale du patient soutiennent que seuls les patients ont le droit de prendre des décisions concernant leur propre corps. D'autres, cependant, considèrent que cette nouvelle condition dans la relation médecin-patient est inadéquate, car ils estiment que tout être humain, lorsqu'il est malade, voit sa capacité de décision automatiquement réduite et, surtout, qu'il est impossible pour tout professionnel de la santé de transmettre au patient toutes les informations nécessaires à la meilleure prise de décision que requiert chaque situation clinique. Il existe également un troisième groupe qui propose un mode alternatif de prise de décision, inspiré de la proposition habermassienne de la délibération, qui présuppose un dialogue respectueux entre les parties dans la recherche de solutions consensuelles aussi raisonnables et prudentes que possible. Les défenseurs inconditionnels du plein exercice de l'autonomie du patient dans la prise de décision clinique comprennent qu'il appartiendrait au professionnel de santé de se contenter d'offrir des informations techniques, en mettant à disposition ses compétences pour réaliser l'acte choisi par le patient. Le professionnel ne jouerait ici qu'un rôle de conseil, en proposant toutes les alternatives thérapeutiques possibles afin que le patient puisse prendre ses décisions en fonction de ce qui lui convient le mieux. Ce modèle a été très bien accueilli dans les pays de culture anglo-saxonne, où l'on cultive un grand respect pour l'exercice des droits individuels. Dans ce scénario, le patient se rend chez le professionnel de santé pour recevoir un service technique et tout doit être régi par un contrat qui comprend les droits et les devoirs de chacune des parties impliquées dans le traitement. Dans l'exercice de la médecine, ce modèle de relation a généré, d'une part, des entités profanes spécialisées dans l'identification d'éventuelles erreurs professionnelles et, d'autre part, une médecine dite défensive, spécialisée dans l'élaboration de contrats qui protègent les professionnels contre d'éventuelles poursuites judiciaires intentées par les patients. Il est évident que cette impasse a eu de graves conséquences sur le processus d'élaboration et d'obtention du consentement éclairé. Il est donc évident qu'en remplaçant le modèle paternaliste d'inspiration hippocratique par l'exercice sans restriction de l'autonomie du patient, en sous-évaluant la figure du professionnel vertueux et en adoptant un pacte contractuel comme élément médiateur entre le professionnel de la santé et le patient, la perception s'est développée que la soi-disant *philia* hippocratique cédait la place à la coexistence d'étrangers moraux, une condition présentée par Engelhardt comme une réalité réelle dans la société post-moderne, où la morale séculière prévaut (ENGELHARDT,T. 1998). Dans le modèle paternaliste, le professionnel de la santé agit en tant que seul responsable du patient, décidant et mettant en pratique les procédures qu'il considère comme les plus bénéfiques pour la personne malade dont il s'occupe. Bien que guidé par les impératifs techniques et moraux du meilleur intérêt du patient, le professionnel se réservait le droit de prendre des décisions basées sur son jugement personnel et sa compétence.

Pour souligner les faiblesses possibles des modèles paternaliste et autonomiste, nous présenterons deux cas hypothétiques de prise de décision d'hystérectomie dans des situations cliniques différentes, qui sont néanmoins assez courantes dans le travail quotidien des professionnels de la santé.

Cas 1 : Mme X, 32 ans, mariée, troisième grossesse et adressée au bloc opératoire pour une césarienne. Au cours de l'intervention, après ablation du fœtus, le chirurgien constate la présence d'une légère myomatose utérine qui, selon lui, suffit à expliquer les saignements trans-opératoires difficilement contrôlables. Le médecin, considérant que le couple ne souhaitait vraisemblablement plus augmenter sa descendance, a décidé, après une rapide consultation avec le mari de la patiente, de procéder à une hystérectomie.

Cas 2 : Mme Y, 33 ans, divorcée, avec un diagnostic antérieur de myomatose utérine légère, se présente chez son gynécologue en signalant qu'elle souffre beaucoup d'épisodes répétés de tension prémenstruelle et de métrorragies prolongées, demandant que le professionnel procède à une hystérectomie afin de lui épargner les souffrances qui nuisent à sa qualité de vie. Le professionnel, bien que considérant qu'il n'y avait pas d'indication formelle à l'intervention, puisqu'il existait d'autres alternatives thérapeutiques, a donné raison à la patiente et a procédé à l'ablation de l'utérus par voie vaginale sans aucune complication postopératoire, ce qui a permis à la patiente de sortir de l'hôpital plus tôt que prévu. Deux ans plus tard, pour des raisons très différentes, les deux patientes ont commencé à exprimer leur désir de grossesse. Mme X, pour avoir perdu son troisième enfant par noyade accidentelle dans la piscine de l'immeuble où elle habitait ; Mme Y, pour sa part, ayant établi une nouvelle relation conjugale avec un jeune veuf, a commencé à exprimer son intention d'être enceinte afin de répondre au souhait de son mari, qui comprenait que la présence d'un enfant serait un élément essentiel pour compléter le bonheur du couple. Dans le cas de Mme X, la prise de décision a suivi le modèle paternaliste, tandis que pour Mme Y, le médecin a accédé à ses souhaits, même en considérant que la procédure n'était pas conforme aux meilleures pratiques cliniques, et en bref, la volonté autonome de la patiente a prévalu. A titre d'exercice de raisonnement, envisageons une nouvelle voie qui précéderait la prise de décision et qui consisterait à promouvoir avec le patient ce que l'on appelle, en bioéthique clinique, un processus délibératif. Dans ce modèle, qui nous semble le plus approprié, le médecin et le patient, avant de prendre une décision, établissent un dialogue professionnel, en considérant toutes les alternatives possibles, en tenant compte de tous les risques et de tous les bénéfices impliqués dans chacune des propositions thérapeutiques présentées. C'est ce que l'on pourrait appeler une prise de décision coopérative, entreprise par deux "amis moraux". Bien que nous sachions que même après un long processus de délibération menant à la décision d'hystérectomie dans les deux cas, les options finales pourraient être les mêmes que celles adoptées à l'origine, il est impératif de reconnaître que le simple fait d'examiner toutes les alternatives possibles pourrait aboutir à d'autres décisions, plus raisonnables et plus prudentes. Par exemple, si Mme X avait eu la possibilité d'évaluer correctement et de donner son avis sur l'indication d'une hystérectomie, n'est-il pas raisonnable d'imaginer qu'elle aurait pu opter pour la préservation de son organe ? Quant à Mme Y, si on lui avait présenté d'autres propositions de traitement conservateur, sans contrainte et avec plus de persuasion de la part du professionnel, n'est-il pas plausible d'envisager qu'elle les aurait acceptées ? Indépendamment des réponses aux questions ci-dessus, une chose est sûre : le dialogue mené dans le respect et l'épuisement afin qu'aucun doute ne subsiste pour tous les protagonistes impliqués dans les cas, semble être la voie la plus appropriée pour parvenir aux décisions les plus raisonnables et les plus prudentes possibles. C'est le modèle proposé par la bioéthique pour prendre des décisions cliniques qui tiennent compte des faits issus de la recherche scientifique et des valeurs humaines, car la médecine fondée sur des preuves ne suffit pas à déterminer le cas de **devoir,** qui occupe le niveau le plus élevé de l'obligation morale. D'autre part, l'application correcte du formulaire de consentement éclairé dans la pratique clinique est relativement nouvelle pour nous. Nous pouvons affirmer sans crainte que, notamment au Brésil, il n'est pas rare que des procédures diagnostiques invasives ou même des interventions chirurgicales majeures soient réalisées sans que les patients soient correctement informés. Il n'est pas rare de voir, lors d'une consultation de routine dans le service ambulatoire de cardiologie d'un hôpital universitaire, que le médecin traitant, face à un patient présentant une cicatrice de thoracotomie médiane, interrogé sur le type d'intervention chirurgicale réalisée, reçoive une brève réponse de la part du patient : "On m'a remplacé une valve cardiaque". Lorsqu'on l'interroge sur le modèle et la position de la prothèse utilisée, la réponse est souvent la suivante : "Je ne sais pas, le médecin ne me l'a pas dit". L'obtention du consentement éclairé dans une clinique, bien qu'il s'agisse d'une procédure obligatoire, devrait toujours se faire par le biais d'un dialogue compétent et éclairant, afin que la dignité personnelle du patient soit respectée. La société moderne exige que les professionnels de la santé reconnaissent la compétence des patients à prendre des décisions concernant les procédures diagnostiques et thérapeutiques effectuées sur leur propre corps. Malheureusement, il existe encore souvent des attitudes de la part des professionnels qui considèrent les personnes humbles et peu éduquées comme incapables de comprendre les explications sur les procédures médicales. Ils ne parviennent pas ou ne font même pas l'effort de communiquer réellement avec la personne qui, privée des droits les plus élémentaires de la citoyenneté, s'incline silencieusement devant l'attitude autoritaire du professionnel. Quel professionnel de la santé n'a pas entendu parler d'un cas où un patient diabétique souffrant d'une maladie artérielle périphérique obstructive, qui demandait au chirurgien vasculaire des éclaircissements sur l'indication de l'amputation de sa jambe, a reçu la réponse laconique suivante : "Veuillez comprendre que j'ai fait des études de médecine et que je n'ai pas d'expérience dans le domaine de la santé : "Comprenez que j'ai étudié pendant plus de vingt ans pour connaître tous les détails de cette chirurgie, alors soyez tranquille et laissez-moi savoir ce qui est le mieux pour vous !".

Il faut cependant considérer que si le comportement paternaliste du professionnel qui ne reconnaît pas le droit du patient à prendre des décisions sur les procédures à effectuer sur son propre corps est répréhensible, l'"attitude Pilate" du médecin qui transfère simplement toutes les décisions à la sphère de responsabilité du patient, sans avoir établi un dialogue clarificateur préalable, est tout aussi irresponsable. Les professionnels de la santé doivent reconnaître que le consentement offert par le patient pour toute procédure n'aura de soutien moral que s'il est précédé d'un dialogue respectueux et éclairant sur l'ensemble des risques et des bénéfices des indications médicales proposées. En outre, l'attitude consistant à fournir des informations au patient, en plus d'être menée de manière interactive, présuppose que le médecin ait une connaissance adéquate de l'histoire biographique du patient. La médecine moderne vit avec une augmentation significative des maladies chroniques et une multitude de possibilités diagnostiques et thérapeutiques, chacune avec ses propres risques et bénéfices, ce qui rend le processus de prise de décision très complexe. Entre l'attitude paternaliste du professionnel et la prise de décision du patient insuffisamment informé se trouve la prudence dans la recherche des alternatives les meilleures et les plus raisonnables identifiées par les deux parties à travers le processus de délibération. Inspiré à l'origine comme un instrument permettant aux patients de faire des choix libres et autonomes, il existe actuellement une pratique inadéquate consistant à considérer le formulaire de consentement comme une procédure formelle d'obtention d'un instrument offrant aux professionnels de la santé une protection juridique contre d'éventuelles poursuites judiciaires intentées par les patients ou leurs familles. En plus de fournir des informations suffisantes et intelligibles, les médecins ne devraient pas permettre que la pression exercée par les membres de la famille détermine des décisions cliniques qui répondent à des attentes étrangères à l'intérêt du patient. D'autre part, la stratégie consistant à offrir des informations incomplètes aux patients afin de leur faire accepter plus facilement et plus rapidement des décisions diagnostiques ou thérapeutiques considérées comme scientifiquement plus préférables du point de vue du médecin n'est pas moralement fondée. Ce type de manipulation répréhensible est également pratiqué par les membres de la famille qui veulent avoir le dernier mot sur le traitement à administrer à leurs proches malades. Connu sous le nom de "pacte de silence", l'accord passé entre les professionnels de la santé et les membres de la famille dans le but de dissimuler au patient des informations considérées a priori comme préjudiciables à l'équilibre émotionnel de la personne malade, est encore une pratique courante.

Certains professionnels parlent de pieux mensonge. Or, il faut savoir que le mensonge est invariablement préjudiciable au patient qui, privé de l'expression de ses décisions autonomes, se sent non respecté et réduit à la condition morale d'incapable. Il est évident que le professionnel doit être formé à donner de bonnes nouvelles au patient et, pour ce faire, il doit être guidé par des protocoles établis dans la littérature médicale. De nombreuses facultés de médecine ont déjà intégré dans leur cursus des ateliers permettant aux étudiants de donner de meilleures nouvelles. Bien que certains professionnels considèrent encore l'utilisation de mensonges pieux comme valable, nous sommes loin d'adopter les conseils de Gregorio Maranon qui, dans les années 1940, enseignait à ses étudiants que : "Le médecin doit donc mentir : "*Le médecin doit donc mentir, et pas seulement par charité, mais au service de la santé ! Combien de fois une inexactitude, volontairement semée dans l'esprit du malade, lui profite plus que tous les médicaments de la pharmacopée*". (MARANON, G., 1947)

Le patient ne demande pas de pieux mensonges, mais de pieux moyens d'approcher la vérité. Il est également important de garder à l'esprit que la feuille de route dans la quête de la vérité diffère énormément d'une personne à l'autre et d'un moment à l'autre de la vie. Toute maladie génère des degrés variables d'insécurité personnelle et érige des barrières à la lucidité, que le professionnel de santé ne peut manquer de reconnaître. Le pieux mensonge comme la vérité intempestive exposée au patient ne font que démontrer l'impréparation du professionnel à établir un lien intersubjectif respectueux avec le patient. Ainsi, la circulation de l'information dans la relation médecin-patient doit être soumise au respect des plus vulnérables et se matérialiser par des actes de loyauté et de partenariat authentique et, à cette fin, il n'y a pas d'autre moyen que l'exercice permanent du processus délibératif pour prendre des décisions cliniques. Il est important de souligner que c'est au patient de définir la forme, le rythme et les limites de la divulgation d'informations sur sa maladie, et au professionnel d'être attentif aux doutes et aux insécurités du patient et de sa famille. Cette pratique doit être mise en œuvre avec un délai suffisant pour permettre une réévaluation permanente de toutes les décisions antérieures et, dans la mesure du possible, elle doit être mise en œuvre de manière consensuelle. Il existe cependant des situations particulières qui ne permettent pas de franchir toutes les étapes de ce processus. Il s'agit des soins urgents, lorsqu'il est nécessaire de mettre en place rapidement des soins spécifiques pour maintenir les fonctions vitales de la personne malade. De même, les soins prodigués par certains spécialistes dans les situations d'urgence, tels que les anesthésistes et les intensivistes, qui n'ont presque jamais le temps de maintenir un dialogue avec le patient. Enfin, une autre situation à prendre en compte est celle où le patient, en dehors de toute contrainte extérieure, décide spontanément de transférer la responsabilité de la prise de décision au professionnel de santé. Ce type de délégation de pouvoir ne doit pas être considéré comme une perte d'autonomie de la part du patient. Il convient également de prêter attention aux circonstances particulières dans lesquelles il est nécessaire de permettre à des personnes plus familières avec les valeurs morales ou les croyances du patient, telles que celles de nature ethnique, religieuse ou culturelle, de participer au processus décisionnel, à condition qu'il y ait l'accord exprès des patients eux-mêmes. Les professionnels de la santé ne doivent pas s'opposer à ces contributions. En résumé, la relation médecin-patient doit se dérouler dans le cadre d'un dialogue unique qui commence par le récit personnel de la souffrance du patient, suivi d'une écoute active, d'un examen physique minutieux et se termine par une prise de décision diagnostique et thérapeutique fondée non seulement sur les canons de la médecine factuelle, mais aussi sur l'univers des valeurs morales du patient. Il ne peut jamais s'agir d'une rencontre entre un technicien et un corps malade, mais plutôt d'une rencontre entre deux personnes qui, bien qu'ayant des histoires biographiques différentes, se reconnaissent comme des "amis moraux" qui cultivent un respect mutuel.

3 UNE BRÈVE RÉFLEXION SUR LE PARADIGME ÉMERGENT

La réflexion sur l'art de soigner est essentielle, en particulier pour répondre aux nouvelles conditions découlant du passage du modèle cartésien à la prise de décision clinique basée sur l'éthique dialogique. Réfléchir au rôle de chacun des personnages, professionnel de santé et patient, dans ce nouveau scénario est une tâche nécessaire pour une prise en charge médicale réussie. Le mot traitement vient du grec *"therapeia"* et signifie service. L'art du soin s'exprime donc dans le service rendu par le professionnel de santé au patient. Le modèle, qu'il faut maintenant dépasser, est axé sur les soins centrés sur la maladie ; le paradigme émergent est axé sur la prise en charge du patient dans sa globalité, considérant que la maladie ne se limite pas à la souffrance d'un organe, mais qu'il s'agit de la souffrance totale de l'être humain. Les cours de santé de premier cycle continuent à former des spécialistes du traitement des maladies, alors que la société réclame des professionnels qui reconnaissent que toute maladie qui affecte une personne le fait dans sa globalité biopsychosociale et spirituelle. La maladie doit être perçue comme un état de déséquilibre de la santé humaine et le véritable art de soigner cherche à rétablir l'équilibre perdu.

René Descartes aurait dit un jour qu'il lui suffisait de connaître les déplacements et les vitesses des corps célestes pour pouvoir construire l'Univers. La physique moderne, après la révélation du principe d'incertitude d'Heisenberg et de la théorie de la relativité d'Einstein, a définitivement enterré la thèse mécaniste qui cherchait à expliquer tous les phénomènes scientifiquement observables de manière pragmatique en s'appuyant sur des connaissances logico-mathématiques. Dans le domaine de la santé, le cartésianisme a réduit l'être humain à un ensemble de variables biologiques compartimentées en systèmes et appareils : circulatoire, respiratoire, digestif, neurologique, reproductif, etc. Les progrès des neurosciences ont révélé l'existence de neurotransmetteurs, récepteurs qui, par le biais de messagers chimiques, favorisent l'intercommunication entre les systèmes nerveux, immunitaire et hormonal, montrant que l'être humain est bien plus complexe qu'un amas d'organes juxtaposés.

Pour mieux comprendre cette nouvelle réalité, il faut se tourner vers la théorie de la complexité d'Edgar Morin (MORIN,E, 1995). Les professionnels de la santé doivent donc abandonner la loupe cartésienne et réaliser qu'ils seront toujours confrontés au nouveau défi de reconnaître l'être humain comme un *"homo systemus"* qui voit ses limites personnelles passer par de multiples interactions avec d'autres *"homo systemus",* dans une immense variété d'environnements sociaux, d'événements, de choix, de pertes et de renoncements et que la santé comme la maladie sont des situations qui resteront incomprises si l'on n'intègre pas toutes ces variables.

Hans-Georg Gadamer, professeur d'herméneutique à l'université de Francfort, a attiré l'attention sur la signification du mot *sprechstunde, qui se compose* de *sprechen* (parler) et de *stunde* (temps). Il a compris que l'acte de soin contenu dans la rencontre entre le professionnel de santé et le patient devrait être guidé par l'impératif du "temps de parole" *: "La perturbation de la santé est ce qui rend le traitement nécessaire. Une partie du traitement est le dialogue. Le dialogue favorise l'humanisation de la relation entre [le professionnel] et le patient. De telles relations inégales font partie des tâches les plus difficiles [à accomplir] entre les êtres humains (...) Le mot dialogue implique déjà de parler à quelqu'un, [qui] répond à son interlocuteur (...) En tout cas, dans le domaine de la médecine, le dialogue n'est pas une simple introduction et une préparation au traitement, c'est déjà un traitement".* (GADAMER, H.G., 2006). Curieusement, le paradigme émergent proposé pour ce millénaire, dépositaire des avancées technoscientifiques les plus complexes que l'humanité ait connues dans son histoire, porte le simple nom de **dialogue**. Après avoir vanté tant de savoirs hermétiques, il faut se préparer au temps de la parole et de l'écoute. À cet égard, il n'y a pas de meilleur moyen que de revenir au modèle de la *maïeutique* socratique, qui utilise le dialogue comme outil de recherche de la vérité. Pour illustrer cette voie, nous reprenons le dialogue très actuel entre Socrate et Phédon sur le thème de la rhétorique et de l'art médical :

- *Socrate :* Nous procédons avec la rhétorique comme avec l'art de la médecine.

- *Fedon :* Pourquoi ?

- *Socrate :* Dans les deux cas, il faut briser la nature, le corps d'une part, l'âme d'autre part, si l'on veut, non seulement de manière conventionnelle et sur la base d'une simple routine, mais avec art et force grâce à l'utilisation de médicaments et d'aliments et, dans le cas de la rhétorique, pour transmettre la vertu et la conviction que l'on veut par le biais de bons conseils et de coutumes sacrées.

- *Fedon : Apparemment,* Socrate.

- *Socrate :* Crois-tu que l'on puisse comprendre correctement la nature de l'âme sans comprendre l'ensemble de la nature ?

- *Phédon :* Si l'on en croit Hippocrate l'Asclépien, sans une telle procédure, on ne peut même pas comprendre la nature du corps. (PLATON, 1972)

Il est tout aussi nécessaire de s'inspirer des enseignements contenus dans les vers de T.S. Eliot. Séparés dans le temps par vingt-quatre siècles, le philosophe et le poète nous enseignent que pour bien exercer l'art des soins, il est nécessaire de revenir avec perspicacité et sagesse à nos origines, car ce n'est qu'en accueillant l'être humain malade avec empathie que nous saurons comment mener correctement nos actions professionnelles :

"Nous ne cesserons jamais d'exploiter

Et à la fin de notre exploration

Il s'agira de se rendre au point de départ

Et l'endroit reconnaît toujours

Comme la première fois que nous l'avons vu.

A travers la porte inconnue et mémorisée

Lorsque la dernière parcelle de terre

A nous de découvrir

C'était le début

Sur les rives du plus long fleuve

La voix de la cascade cachée (...)

Dépêchez-vous, ici, maintenant, toujours

Une condition de simplicité absolue (...)" (T.S.ELIOT,1981)

Références

ALVES, R. *Entre a Ciencia e a Sapiencia : o dilema da educagao.* Sao Paulo : Loyola, 2001

ALVES, R. *Le médecin.* Campinas : Papirus, 2003 BOFF, L. *Saber Cuidar.* Sao Paulo : Vozes,1999 a . *Etica da Vida.* Brasilia : Letraviva,1999 b . *Principe de compassion et d'attention.* Petropolis : Vozes, 2001 CIRET-UNESCO. *Quelle université pour demain ? A la recherche d'une évolution transdisciplinaire de l'université.* Locarno : Ciret-Unesco, 1997 DESCARTES, R. *Discurso del Metodo.* Mexico : Parrua, 1984

ENGELHARDT , T. *Fundamentos de Bioetica.* Sao Paulo : Loyola, 1998

ENTRALGO, P.L. *La relacion medico-enfermo.* Madrid : Alianza Editorial,1983 . *Science, technologie et médecine.* Madrid : Alianza Editorial, 1986 . *L'être et le comportement de l'homme.* Madrid : Espasa, 1996 FOUCAULT, M. *O Nascimento da Clinica.* Rio de Janeiro : Forense Universitaria,1998

GADAMER, HG. *La nature cachée de la santé.* Petropolis : Vozes, 2006

GAILLARD, J.R. *O medico do futuro : para uma nova logica medica.* Lisbonne : Instituto Piaget, 1995

LOWN, B. *L'art perdu de la guérison.* Sao Paulo : JSN Editora, 1997

MARANON, G. *Vocation y Etica y otros ensayos.* Madrid : Espasa Calpe,1947

MARCUSE, H. *One dimensional man : studies in the ideology of advanced industrial society.* Boston : Beacon, 1964

MORIN,E. *Introduction à la pensée complexe.* Lisbonne : Instituto Piaget,1995 LES MÉDECINS ET LA SANTÉ AU BRÉSIL, Conseil fédéral de la médecine, Brasilia,1998

PERFIL DOS MEDICOS NO BRASIL ,vol.IV. Rio de Janeiro, Fiocruz/CFM/MS/PNUD,1996

Collection PLATO *Les penseurs, vol.III.* Sao Paulo : Abril,1972

RIEFF, P. *O triunfo da terapeutica.* Sao Paulo : Editora Brasiliense,1990

ROZENMAN,Y. *Où est passé le bon vieux diagnostic clinique ?* New Engl J

Med,336:1435-1438,1997

SCHEFFER,M. La *démographie médicale au Brésil*. Brasilia : Conseil fédéral de la médecine, 2018

SÉMINAIRE INTERNATIONAL SUR LA PROFESSION MÉDICALE. Conseil fédéral de la médecine, Brasilia, 1997

SFEZ,L. *A saúde perfeita : cntica de uma nova utopia* .Sao Paulo : Loyola,1996

SIQUEIRA,J.E. *Etica e Tecnociencia : uma abordagem segundo o Principio de Responsabilidade de Hans Jonas.* Londrina :EDUEL,1998

--------------- . *L'éducation à la bioéthique dans les facultés de médecine* Le monde de la santé, année 29,v. 29,n.3,juillet/septembre,402-410,2005

T.S.ELIOT *Poésie.* Rio de Janeiro : Nova Fronteira,1981

4 LA MODERNITÉ ET L'ÉMERGENCE DE L'ÉTHIQUE APPLIQUÉE

"Le défi de la bioéthique future est que nous possédons plus de connaissances technologiques que jamais, mais que nous ne savons pas comment les utiliser, et la crise de notre époque est que nous avons acquis un pouvoir inattendu et que nous devons l'utiliser dans le chaos d'un monde post-traditionnel, post-critique et post-moderne". (ENGELHARDT, T., 1998)

Les modèles éthiques traditionnels qui ont prévalu jusqu'au 19e siècle étaient caractérisés par l'accent mis sur les actions humaines répondant à l'impératif catégorique kantien. La recherche de l'universalisation des actes moraux accomplis par des hommes et des femmes vivant dans des communautés hétérogènes dans leurs coutumes rendait presque impossible l'idée d'un impératif de la raison humaine qui puisse envisager la condition d'être universel, comme le proposait Emmanuel Kant (KANT, I., 1985). Il a fallu les deux guerres mondiales pour comprendre la dure réalité décrite par Freud comme la "pulsion de mort", une condition psychologique qui, selon lui, donnait aux êtres humains d'obscurs désirs d'auto-anéantissement, qui s'extériorisaient à travers l'hétéro-destruction. Ainsi, il serait déraisonnable d'attribuer une valeur morale universelle à tous les actes humains, puisque nombre d'entre eux représenteraient l'extériorisation de la pulsion de destruction d'autrui, comme substitut au désir d'auto-anéantissement (FREUD, S., 1981).

De même, jusqu'au XIXe siècle, la nature avait un réel pouvoir normatif et la liberté humaine était entièrement soumise à un horizon naturel et immuable. À partir de la seconde moitié du XXe siècle, nous avons commencé à voir que les progrès *technico-scientifiques* ont pris les caractéristiques d'un pouvoir presque illimité de transformation de la nature humaine et extra-humaine, soumettant entièrement l'*homo-sapiens* à l'*homofaber*. *D'autre part*, le rapport entre technologie et science est devenu dominant et le produit de cette union - la technoscience - a acquis des pouvoirs extraordinaires, produisant des progrès qui ont acquis une telle autonomie qu'il n'a pas été jugé nécessaire de les soumettre à un quelconque jugement éthique. Dans une célèbre conférence sur la crise de la science européenne et de la phénoménologie transcendantale, Husserl identifiait déjà l'existence d'un "trou aveugle" dans l'objectivisme scientifique, qu'il appelait alors "*le vide de la conscience en elle-même*". (HUSSERL,E.,1994)

A partir du moment où, d'une part, il y a eu divorce entre la subjectivité humaine (réservée à la psychologie et à la philosophie) et l'objectivité de la connaissance (considérée comme le territoire exclusif de la science), on a commencé à privilégier le développement de technologies raffinées pour percer les mystères de la nature. Cette condition a été critiquée par Morin, qui l'a identifiée comme une "*ignorance de l'écologie de l'action*" (MORIN, E., 1993), car à partir du moment où le processus de recherche de la connaissance commence, le contrôle des actions qui le suivent échappe au chercheur et commence à être mené par des agents extérieurs au domaine de la science, qui commencent à définir des objectifs différents de ceux qui avaient été conçus à l'origine. Il serait vain d'énumérer des exemples de cette déviation, il suffit de rappeler que les connaissances générées par l'énergie libérée par la fission nucléaire, parmi d'autres nobles initiatives scientifiques, ont permis la production des bombes atomiques larguées sur Hiroshima et Nagazaki.

D'autre part, il est important de reconnaître que les fondements de la science moderne remontent au XVIIe siècle, avec René Descartes et Francis Bacon, qui ont mis l'accent sur le pouvoir opérationnel de la science. Dans "De l' Avancement des Sciences", publié initialement en 1603, peu avant sa mort, Bacon encourageait les hommes à unir leurs forces "*pour dominer la nature, prendre d'assaut et occuper ses châteaux et ses palais*". (BACON, F., 1999). En effet, les hommes de science ont tout fait pour répondre à la proposition de Bacon. Un nouveau modèle de collaboration entre la technologie et la science voit alors le jour, de telle sorte que toute recherche scientifique s'effectue à travers un dialogue intime entre la recherche de la connaissance et son application pratique, entre la théorie et l'utilisation du produit qu'elle génère.

À ce sujet, Popper a réfléchi à ce qui suit :

"L'*histoire de la science, comme celle de toutes les idées humaines, est une histoire de rêves irresponsables, d'entêtements et d'erreurs. Cependant, la science est l'une des rares activités humaines, peut-être la seule, dans laquelle les erreurs sont systématiquement signalées et, avec le temps, constamment corrigées".* (POPPER,K. 1972)

Au XXe siècle, nous avons pris conscience que, face à la possibilité de dommages causés à la nature humaine et extra-humaine par les avancées technoscientifiques, il était impératif que, parallèlement à la production de nouvelles connaissances, la science accueille les contributions nécessaires et prudentes de considérations éthiques sur les valeurs essentielles à la vie. Il ne manquait pas de penseurs comme Ralph Lapp, cité par Alvin Toffler dans "Le choc du futur", qui considéraient qu'il était essentiel d'inhiber l'avancée incontrôlée de la technoscience. Lapp a utilisé la métaphore suivante :

"Nous sommes à bord d'un train qui ne cesse de prendre de la vitesse, sur une voie où d'innombrables commandes de direction mènent à des destinations inconnues. Aucun scientifique ne se trouve dans le cockpit et il est possible qu'il y ait des démons dans le tableau de bord. La majorité de la société se trouve sur le dernier siège, regardant en arrière. (TOFFLER,A. 1973)

Plus réfléchi, Toffler lui-même considérait que tourner le dos à la technologie serait naïf et imprudent. L'important, selon lui, serait de définir une stratégie efficace pour éviter ce qu'il appelle le "choc du futur". Gilbert Hottois, bioéthicien belge, a également estimé que *"tant le rejet obscurantiste que la glorification inconsidérée des technosciences pourraient être préjudiciables à la qualité de vie des générations futures". Il* est important de considérer que seuls les êtres humains sont capables de changer le cours de l'histoire par leurs actions et leurs choix, qui doivent faire l'objet d'une réflexion éthique prudente. Cette responsabilité impose à chacun, et en particulier aux scientifiques impliqués dans la production de connaissances, des devoirs qui prennent en compte la préservation de l'existence humaine dans sa forme authentique. Cette obligation est d'autant plus grande que le pouvoir de transformation et la conscience que nous avons de tous les dommages possibles causés par des actions irréfléchies sont importants (HOTTOIS, G. 1991).

Il est important de considérer que seuls les êtres humains sont capables de changer le cours de l'histoire par leurs actions. Sur une route qui bifurque, seul l'être humain a le choix. Les itinéraires peuvent être différents, tout comme la destination finale, car un chemin peut se terminer dans un précipice ou à une source d'eau pure. C'est précisément à ces points de bifurcation que se pose la question du choix, qui ne sera approprié que s'il est effectué dans le cadre d'un processus de dialogue interdisciplinaire impliquant des représentants de tous les domaines de la connaissance. Cette responsabilité impose à tous les scientifiques impliqués dans la production de connaissances des devoirs qui tiennent compte de la préservation de l'existence humaine dans sa forme la plus authentique. Cette obligation s'accroît considérablement en raison du pouvoir de transformation et de la conscience que nous avons de tous les dommages possibles causés par des actions irréfléchies. Le maintien de la vie dans sa plénitude est la condition de la survie de l'humanité, et c'est dans le contexte de ce destin solidaire que Hans Jonas, auteur du "Principe de responsabilité", parle de la dignité de la nature. Préserver la nature, selon Jonas, c'est préserver la vie dans son expression la plus authentique (JONAS, H. 1995).

Dans le même ordre d'idées, nous soulignons le cri d'alarme d'Edgar Morin et d'Anne Brigitte Kern, décrit dans leur livre "Terra-patria" :

"Voici la mauvaise nouvelle : nous sommes perdus, irrémédiablement perdus. Nous sommes perdus, mais nous avons un toit, une maison, une patrie. C'est notre patrie, le lieu de notre communauté de destin, de vie et de mort. L'évangile des hommes perdus nous dit que nous devons être frères, non pas parce que nous serons sauvés, mais parce que nous sommes perdus". (MORIN, E. KERN, A.B, 1995).

En outre, les répercussions néfastes sur la santé humaine de la détérioration de l'environnement sont bien connues. L'avenir ne se réalise peut-être pas, mais il témoigne dans le présent, comme la caractérisation d'un malheur, d'une perspective de l'indésirable, qui nous montre éloquemment la nécessité d'élaborer un nouveau statut de responsabilité visant à préserver la vie humaine et la planète.

Ilya Prigogine, prix Nobel de chimie, dans son livre "La fin des certitudes", évoque également la nécessité d'un dialogue entre la science et la nature. L'auteur estime que "comprendre" ne peut pas signifier "contrôler", car : *"Le maître qui croirait connaître ses esclaves simplement parce qu'ils obéissent à ses ordres serait aveugle [...]. Aucune spéculation [scientifique], aucune connaissance n'a jamais affirmé l'équivalence entre ce qui se fait et ce qui se défait, entre une plante qui naît, fleurit et meurt, et une plante qui ressuscite, rajeunit et retourne à sa semence primitive, entre un homme qui mûrit et apprend et [celui] qui devient progressivement un enfant, puis un embryon, puis une cellule".* (PRIGOGINE, I., 1996).

D'autre part, il est important de reconnaître que les préoccupations actuelles concernant le déséquilibre écologique découlent également de la quasi-absence de système de comptabilité environnementale. Le système internationalement accepté pour reconnaître le progrès économique d'une nation, le produit intérieur brut (PIB), ne prend pas en compte la dépréciation du "capital naturel", comme la perte de sols fertiles due à l'érosion, l'utilisation sans discernement de produits agrochimiques ou la déforestation.

Giovane Berlinguer, bioéthicien italien, dans son livre "Questions de vie : Éthique, science et santé", s'indigne du galop incontrôlé de la technoscience : *"La vitesse à laquelle on passe de la recherche pure à la recherche appliquée est aujourd'hui si élevée que la permanence, même pour un court laps de temps, d'erreurs ou de fraudes, peut provoquer des catastrophes".* (BERLINGUER, G., 1993)

Dans *"Global Bioethics : building on the Leopold Legacy"*, Van Rensellaer Potter, créateur *du* néologisme *bioéthique, aborde* la question de la responsabilité dans la recherche de la connaissance. S'adressant spécifiquement aux scientifiques, il leur recommande de *"penser la bioéthique comme une nouvelle éthique de la science qui combine humilité, responsabilité et compétence, qui est interdisciplinaire et interculturelle et qui fait ressortir le véritable sens de l'humanité".* (POTTER, V.R.,

1988).

Au cours du XXe siècle, nous avons été témoins d'innombrables malheurs, ne serait-ce qu'en considérant les pertes humaines accumulées au cours des deux grandes guerres et la dégradation de l'environnement. Quels chemins avons-nous empruntés pour perdre le sens de la communauté et nous laisser dominer par un individualisme obstiné et irresponsable ? C'est peut-être parce que nous avons choisi les règles du "moi isolé" pour représenter la supériorité de la partie sur le tout que nous nous sommes déchargés de toute responsabilité dans la compréhension et la résolution des problèmes de la communauté humaine. Amartya Sen a identifié comme la devise la plus trompeuse de la réflexion post-moderne le fait que nous ayons considéré que les vertus supposées des mécanismes de régulation du marché libre se sont avérées si évidentes qu'elles ne nécessitent aucune réflexion éthique pour évaluer leurs conséquences sociales. L'auteur conclut que le capitalisme, en essayant de démontrer avec une richesse de détails incomparable que l'économie fondée sur la science devrait toujours fluctuer en fonction du marché, n'avait pas pour objectif de défendre la démocratie, mais plutôt la liberté de mouvement du grand capital international, dont les événements récents ont montré qu'elle n'a abouti qu'à une énorme augmentation des inégalités sociales (SEN, A. 2011).

Plus récemment, l'économiste français Thomas Piketty a publié "Le capital au XXIe siècle", le résultat de quinze années de recherche sur l'évolution de la politique économique dans vingt pays au cours des deux cents dernières années. Dans la conclusion de cette recherche, l'auteur affirme que "*le lien général de ma recherche est que l'évolution dynamique d'une économie de marché et de propriété privée, laissée à elle-même, contient d'importantes forces de convergence, liées avant tout à la diffusion des connaissances et des qualifications, mais aussi des forces de divergence vigoureuse qui sont potentiellement menaçantes pour nos sociétés démocratiques et les valeurs de justice sociale sur lesquelles elles sont fondées*" (PIKETTY, T., 2014).

La sous-estimation de la valeur de la dignité humaine, associée à des problèmes chroniques tels que la faim, la pauvreté, l'insalubrité et le chômage, a permis à la violence de se développer à tous les niveaux de la société, de la sphère domestique à la sphère communautaire. Ce malaise a stimulé une importante production académique dans la recherche de modèles qui restaurent les idéaux de solidarité et de paix, acquis de haute lutte par les démocraties modernes. Adela Cortina, comme d'autres auteurs, reprend le modèle universaliste kantien et l'éthique discursive de Habermas pour proposer la construction d'une société qui permette l'existence de niveaux minimaux de justice présents dans la société mondiale. Il souligne que ces minima n'émergeront pas de la tradition politique libérale, mais d'initiatives qui promeuvent l'inclusion sociale. Elle prévient qu'un monde injuste qui sous-estime la solidarité et les droits humains fondamentaux ne remplit pas les conditions minimales d'une coexistence sociale harmonieuse, ce qui favoriserait la création de mouvements fondamentalistes qui tenteraient de ressusciter les anciens régimes totalitaires et la négation des conquêtes démocratiques si durement gagnées par la civilisation occidentale. Selon l'auteur, ce n'est qu'en surmontant l'individualisme, le népotisme et les régimes d'exception, en abolissant les frontières entre les pays et en renforçant la solidarité entre les peuples qu'il sera possible de parvenir à la paix sociale. (CORTINA,A 2001) Parmi nous, Schramm et Kottow (SCHRAMM,F.R. KOTTOW,M. 2001), Garrafa et Porto (GARRAFA, V ; PORTO,D. 2003) respectivement, ont proposé la "bioéthique de protection" et la "bioéthique d'intervention", qui attribueraient à l'État le rôle de protagoniste dans les initiatives visant à instituer des politiques d'inclusion sociale et des transformations sociopolitiques dans le but d'émanciper les exclus. Compte tenu de ces postulats, une question se pose : les démocraties représentatives occidentales sont-elles capables de mettre en œuvre ces transformations ? Au contraire, ce que nous voyons au niveau mondial, c'est que les niveaux d'extrême pauvreté, d'insalubrité, d'insécurité, de manque d'accès à la nourriture et aux services augmentent.

L'éducation et la santé, des circonstances qui ne font qu'augmenter le nombre déjà énorme d'exclus de la société. D'autre part, selon Amartya Sen, limiter le concept de pauvreté à la simple condition d'un revenu personnel insuffisant serait un réductionnisme inacceptable (SEN.A, 1999), et il estime que la seule façon de promouvoir véritablement la citoyenneté passe par l'émancipation des personnes socialement marginalisées.

Le manque de références, la crise de légitimité de l'État et la croissance des vides institutionnels occupés par le crime organisé n'ont fait qu'accroître le désenchantement existentiel des personnes qui, prises par la peur, perdent leur sens de l'identité parce qu'elles ne disposent pas d'un soutien social adéquat. Ainsi, nous nous trouvons insérés dans une société mondialisée, avec des avancées technologiques significatives, un petit nombre de personnes avec d'énormes fortunes vivant avec un énorme contingent de personnes misérables, ce qui a été identifié par certains auteurs comme "l'enrichissement appauvrissant" de la *post-modernité*. L'identité personnelle qui devrait se construire harmonieusement dans la richesse de la diversité culturelle a été remplacée par la logique pathétique du "moi isolé", comme l'a décrit Allan Bloom en parlant de la jeunesse américaine :

"L'avenir indéterminé et l'absence de passé contraignant font que l'âme des jeunes est dans un état similaire à celui des premiers hommes, spirituellement nue, sans lien, séparée, sans relations héritées ou inconditionnelles avec quoi que ce soit ou qui que ce soit. Ils peuvent être ce qu'ils veulent, mais ils n'ont aucune raison particulière d'être quoi que ce soit en particulier. (BLOOM A., 1989)

Cette véritable tyrannie du moi fait que l'autre est perçu comme un élément étranger à qui l'on manque de respect, que l'on viole et que l'on exclut, ce qui rend la destruction physique de l'autre de plus en plus courante dans les grands centres urbains. Un cas emblématique de cette cruauté insensée a été l'assassinat du leader indigène Pataxo, Galdino dos Santos. Appelé à représenter sa communauté lors d'une réunion de la FUNAI, Galdino, qui n'avait pas d'endroit où loger, s'est endormi sur un banc à un arrêt de bus de Brasilia. Pendant qu'il dormait, cinq jeunes hommes de la classe moyenne ont imbibé son corps d'alcool et y ont mis le feu. Brûlé au troisième degré sur 90 % de son corps, le leader indigène est décédé. Dans une déclaration publiée dans l'édition du 21 avril 1997 du Correio Braziliense, l'un des jeunes hommes impliqués a justifié cet acte criminel : *"C'était juste une blague ! Nous ne savions pas que c'était un médium, nous pensions que c'était un mendiant".* (CORREIO BRAZILIENSE, 1997). Le cas Galdino nous oblige à réfléchir sur l'authenticité du sentiment de solidarité tant vanté par la majorité des citoyens brésiliens, puisque nombre d'entre eux assistent passivement à des pratiques aussi explicites de banalisation du mal. Ce témoignage montre que les jeunes agresseurs n'auraient peut-être pas commis le crime s'ils avaient su à l'avance que la victime était un leader indigène, car l'attaque visait un sans-abri. Au sujet de ce crime, Endo se réfère à une étude réalisée par l'UNESCO à Brasilia, selon laquelle, dans la perception des jeunes de la classe moyenne interrogés, l'humiliation des travestis, des prostitués et des homosexuels est moins grave que les graffitis sur les bâtiments publics, la destruction des lampadaires ou des panneaux de signalisation. En outre, plus de 20 % d'entre eux considèrent qu'il est injustifiable d'imposer une quelconque sanction à la suite de leur comportement de maltraitance à l'égard de ces personnes. Cependant, les individus qui ont ce type d'attitude devraient être punis pour avoir assumé publiquement des attitudes socialement répréhensibles (ENDO, P., 2005).

À l'heure où la mondialisation économique fait voler en éclats toutes les frontières nationales, le monde vit des niveaux insupportables de pauvreté, de faim et de violation la plus persistante des droits de l'homme. Il suffit de voir le traitement inique réservé aux milliers de réfugiés syriens qui, fuyant la guerre, cherchent refuge dans les pays d'Europe occidentale. Le défi de recréer une éthique de la solidarité responsable pour "humaniser l'humanité" n'a jamais été aussi urgent. C'est dans ce contexte de désenchantement qu'a émergé l'éthique appliquée, dont la bioéthique, qui s'attache à proposer des réflexions cherchant des solutions alternatives viables aux conflits moraux qui émergent de cette situation de chaos social.

5 LE THÈME DE LA RESPONSABILITÉ VU PAR LES PENSEURS CONTEMPORAINS

Dans "La politique comme vocation", Max Weber distingue "l'éthique de conviction" et "l'éthique de responsabilité", considérant que, dans le premier cas, la fin justifierait les moyens de toutes les actions humaines (hypothèse défendue par les penseurs marxistes) ; dans le second cas, la tradition kantienne d'universalisation des actions morales serait ravivée. Weber fait les commentaires suivants sur les deux modèles :

1. La vie humaine comprendrait différents champs d'axes où il y aurait des tensions entre la morale, la politique et la religion, qu'il reconnaît comme des sources de conflits insolubles et que l'attitude prudente serait de les accepter naturellement et que personne ne peut avoir le droit d'utiliser une position de supériorité pour imposer ses convictions personnelles aux autres.

2. Tous les êtres humains devraient être responsables des conséquences prévisibles de leurs actes. À cet égard, il estime que lorsque les conséquences d'une action menée par pure conviction s'avèrent désagréables, le partisan d'un tel modèle éthique ne considérerait pas l'agent qui l'a menée comme coupable, mais plutôt d'autres variables aléatoires telles que *"le monde, la folie des hommes ou la volonté de Dieu, qui a créé les hommes de cette manière". En revanche*, les partisans de l'éthique de la responsabilité considéreraient que la responsabilité des actes pratiqués incombe exclusivement à l'agent qui les a pratiqués, et qu'il serait déraisonnable de transférer les conséquences néfastes de leurs propres actions à d'autres.

3. L'éthique de la responsabilité présuppose que les moyens doivent être adaptés aux fins à atteindre et qu'il ne peut y avoir de fins altruistes qui justifieraient le recours à des moyens incompatibles avec la réalisation des objectifs authentiques des buts initiaux (WEBER, M.1980).

De même, dans "Essai sur la neutralité axiologique dans les sciences sociologiques et économiques", publié en 1917, Max Weber fait une distinction entre l'obtention des faits produits par la science et les éventuelles évaluations de valeur qui en découlent. À l'époque, ce qui mobilisait l'attention de la communauté universitaire était la question de la "liberté professorale", une condition qui donnait aux professeurs une liberté totale d'exprimer des jugements personnels sur des questions relevant de leur domaine de connaissance. Weber, cependant, soutenait que tout argument pouvant justifier la supériorité du point de vue particulier d'un professeur sur ceux défendus par d'autres penseurs serait disproportionné en matière de politique et de coexistence sociale. Il considère qu'il serait immoral que les enseignants utilisent leur position hiérarchique pour influencer, voire endoctriner leurs élèves. À la même époque, l'intelligentsia allemande débat avec passion de la question théorique des sciences sociales, et il existe un véritable différend entre ceux qui défendent l'adoption, dans ce domaine de la connaissance, des mêmes rigueurs méthodologiques que celles utilisées dans les enquêtes menées dans le domaine des sciences naturelles, qui sont nettement quantitatives. En revanche, d'autres penseurs considéraient qu'il était essentiel d'inclure des valeurs subjectives dans ce domaine de recherche et pas seulement les faits obtenus à partir d'expériences menées dans le domaine des sciences exactes. Il est important de considérer que la production de connaissances jusqu'à la première moitié du XXe siècle a été fortement influencée par la philosophie positiviste proposée par Auguste Comte, qui considérait la sociologie comme un domaine scientifique capable d'expliquer les phénomènes sociaux de manière entièrement rationnelle. En renonçant à l'intégration de valeurs subjectives, elle limitait la recherche sociologique à la simple description des phénomènes sociaux, ce qui rendait le dialogue entre la science et la philosophie presque impossible. Pendant longtemps, c'est ainsi que s'est déroulée la production de connaissances, sur le territoire restreint de l'analytique et du quantitatif, condition qui plaçait la recherche qualitative dans le champ à peine respectable des initiatives académiques à la valeur scientifique discutable. Cependant, Max Weber ne considérait pas qu'il y avait une incompatibilité à accepter simultanément des paramètres quantitatifs et qualitatifs dans la recherche scientifique.

Dans "L'éthique protestante et l'esprit du capitalisme", publié initialement en

1905, Weber a étudié les comportements humains les plus divers qui rapprochent l'éthique protestante et le rationalisme présent dans le capitalisme de l'ère post-industrielle. À l'époque, il était courant de comparer les perceptions des valeurs qui différenciaient le comportement des catholiques et des protestants, les premiers sous-estimant les activités lucratives du modèle d'entreprise, tandis que les protestants adoptaient des positions opposées, définies par Weber comme la *"recherche de la joie de vivre"*. *Selon l'*auteur, cette perception ne faisait pas partie du message originel du luthéranisme, mais a été incorporée plus tard à la suite d'un processus historique appelé vocation ascétique, une condition qui préconisait que le véritable sens de la vie humaine dépendait d'une prédestination divine, dans laquelle l'accumulation de richesses matérielles ne ferait qu'identifier les personnes choisies par Dieu pour démontrer sa manifestation parmi les hommes. La thèse de Weber a trouvé un soutien dans les écrits de Richard Baxter, figure importante du méthodisme, qui prêchait que l'oisiveté était la plus grande expression du péché contre Dieu et que, pour être sûr de son état de grâce, tout homme devait travailler sans relâche pour démontrer sa valeur face à la grâce divine.

Baxter conseillait aux vrais croyants de travailler, d'épargner et de s'enrichir, car ce n'est qu'ainsi qu'ils pourraient à la fois démontrer leur mérite personnel et assurer leur salut éternel en résistant à l'oisiveté et au plaisir. Max Weber a ainsi cherché à établir un lien direct entre le puritanisme et le capitalisme (WEBER, M., 2008). Certains sociologues ont considéré que l'hypothèse de Weber était vraisemblablement confirmée par le fait que les principaux fondateurs de l'industrie chimique anglaise étaient calvinistes.

Qu'est-ce que cette thèse wébérienne a à voir avec l'objectif de cet essai ? Pour répondre à cette question, il faut comparer les idées politiques qui guident l'action publique de deux pays, dont l'un est majoritairement protestant et l'autre compte le plus grand nombre de catholiques fervents de la planète. Il s'agit des États-Unis et du Brésil. Pour ce faire, nous nous pencherons sur la pensée de deux philosophes contemporains, Robert Nozick et Franklin Leopoldo e Silva. En 1974, Nozick a publié "Anarchy, State and Utopia", dans lequel il remet en question la validité du concept de justice distributive, soutenant que les droits individuels sont tellement inaliénables et complets qu'aucun gouvernement démocratique ne serait autorisé à allouer des fonds publics provenant de l'impôt sur le revenu à des programmes sociaux destinés à bénéficier aux pauvres, sans que ces derniers n'apportent leur propre contribution aux caisses de l'État. Selon l'auteur, des attitudes de cette nature ne feraient que favoriser le maintien de l'état d'inertie de cette population d'indigents qui n'exerceraient plus leurs responsabilités sociales en attendant passivement les prestations d'un gouvernement paternaliste. Pour lui, seul un "État minimal", se limitant à faire respecter les contrats et à assurer la sécurité des personnes contre l'arbitraire, le vol et la fraude, serait justifié dans une société libérale. Ainsi, pour Nozick, tout gouvernement qui utiliserait le pouvoir que lui confère le vote des contribuables devrait être empêché de mettre en œuvre des programmes d'aide sociale pour les nécessiteux. Ainsi, l'une des prémisses qu'un pays démocratique devrait adopter comme clause de Petrea serait de n'obliger aucun citoyen à faire quoi que ce soit qui ne soit pas de sa propre volonté, y compris des contributions financières au profit des personnes nécessiteuses qui peuvent exister dans la communauté (NOZICK, R.1974). Cette idée politique est toujours présente dans la société américaine. En témoigne l'opposition intransigeante du Parti républicain aux initiatives de l'administration de Barack Obama visant à mettre en œuvre des propositions qui garantissent des soins médicaux à une proportion importante de personnes vivant aux États-Unis et ne disposant pas d'un plan d'assurance maladie : une condition extrêmement coûteuse sur le marché de l'assurance maladie de ce pays. Il s'agit d'une population d'environ 40 millions de personnes, un énorme contingent d'individus qui n'ont pas d'assurance maladie et qui ne peuvent donc pas profiter des avantages de l'accès aux procédures de haute technologie dans le pays qui dispose des meilleurs services de santé au monde. Franklin Leopoldo e Silva, pour sa part, analyse la crise de la raison et de l'éthique appliquée dans "Da etica filosofica a etica em saude" (De l'éthique philosophique à l'éthique de la santé), en mettant l'accent sur la bioéthique et son expression dans la santé humaine, en soutenant que la nouvelle discipline serait un instrument utile pour répondre aux questions sur la relation entre la science et les valeurs humaines. Selon lui, cette crise a été provoquée par des circonstances historiques liées à la surestimation du profit au détriment du sentiment de solidarité avec les plus vulnérables. Il est important de rappeler que, selon les préceptes de l'éthique kantienne, la dignité humaine n'a pas de prix. Pour l'auteur, rien ne justifie qu'une personne subisse des conditions inéquitables ou dégradantes dans sa vie personnelle, en particulier dans le domaine de la santé. En conclusion de son exposé, Franklin s'adresse à tous ceux qui ont une responsabilité dans le domaine de la santé : *"Il est nécessaire de connaître la réalité [de la misère sociale] et les situations dans lesquelles le jugement éthique doit s'exercer, mais faire de ce jugement une simple justification de ce qui existe, c'est renoncer à l'éthique"* (LEOPOLDO E SILVA, F. 1998). On peut ainsi constater que la distance qui sépare la pensée du philosophe brésilien de celle défendue par l'Américain Nozick est inversement proportionnelle à celle qui le rapproche de l'éthique de l'*un pour l'autre* du philosophe français Emmanuel Levinas, dont nous présenterons brièvement la pensée plus loin dans cet essai. (LEVINAS,E. 1993)

Hans Jonas, philosophe allemand décédé en 1993, a introduit la figure des "hédonistes de la peur" pour justifier l'adoption d'une attitude prudente face aux incertitudes morales générées par les interventions technoscientifiques. L'auteur a identifié la production et le largage des bombes atomiques sur Hiroshima et Nagasaki comme une étape importante dans l'utilisation inappropriée de la technologie. Jonas, dans une interview publiée dans la revue Esprit en mai 1991 : *"Cela a mis la pensée en mouvement vers un nouveau type de questionnement, mûri par le danger que notre pouvoir représente pour nous-mêmes, le pouvoir de l'homme sur la nature".* (GREISCH,J. 1991).

Plutôt que d'être conscient d'une apocalypse brutale, Jonas a reconnu la possibilité d'une apocalypse graduelle résultant de l'utilisation imprudente des progrès technologiques. L'auteur a réfléchi au fait que jusqu'au 20e siècle, la portée des prescriptions éthiques était limitée aux relations humaines interpersonnelles. Il s'agissait d'une éthique anthropocentrique axée sur un moment historique spécifique. L'intervention technoscientifique, suite à la maîtrise de la physique nucléaire, a radicalement changé cette simple réalité, soumettant la nature aux desseins de l'homme, c'est-à-dire qu'elle peut être radicalement modifiée, une condition qui exige désormais la création d'un nouveau pacte de responsabilité entre l'homme et la nature. Jonas conclut en disant que cette nouvelle proposition éthique devrait prendre en compte la coexistence harmonieuse entre l'homme et la nature extra-humaine. L'auteur affirme que toutes les éthiques traditionnelles antérieures obéissent à trois prémisses caractérisées par les présupposés suivants :

1. Les conditions humaines et extra-humaines, indépendamment de l'intervention humaine, sont toujours restées inchangées.

2. Sur la base de l'hypothèse ci-dessus, on pourrait clairement et sans difficulté déterminer le bien de la nature humaine et extra-humaine.

3. La responsabilité des actions humaines et de leurs conséquences serait parfaitement délimitée dans le temps.

La nature ne serait pas protégée par les actions de l'homme, car elle serait capable de prendre soin d'elle-même. L'éthique se rapporte à l'ici et au maintenant. En lieu et place des anciens impératifs éthiques, dont la norme kantienne : *"Agis de telle sorte que le principe de ton action puisse devenir une loi universelle",* Jonas propose un nouvel impératif : "Agis de telle sorte *que les effets de ton action soient compatibles avec la permanence d'une vie humaine authentique"* ou, pour le dire négativement, "*Ne mets pas en danger la continuité indéfinie de l'humanité sur Terre".* (JONAS, H. 1995). La grande vulnérabilité de la nature soumise à l'intervention technoscientifique est devenue une situation inhabituelle, puisque c'est toute la biosphère qui est susceptible d'être altérée, ce qui rend indispensable de considérer qu'il faut rechercher non seulement le bien de l'homme, mais aussi celui de toute la nature extra-humaine. En outre, les nouvelles interventions qui transforment la nature même de l'être humain révèlent l'ampleur du défi pour la réflexion éthique. Jonas a énuméré une série de questions dans différents domaines de la santé humaine. Par exemple, en ce qui concerne l'utilisation de procédures médicales disproportionnées visant à prolonger artificiellement la vie humaine, connue sous le nom de dysthanasie, il pose la question suivante : "Dans quelle mesure cela est-il justifié ? Dans quelle mesure cela est-il justifié ? En ce qui concerne le contrôle de la conduite humaine, serait-il éthique d'induire des sentiments de bonheur ou de plaisir dans la vie des gens à l'aide de stimuli chimiques ? En ce qui concerne les manipulations génétiques, où l'homme a pris en main l'évolution de sa propre espèce, le philosophe pose la question suivante : l'homme est-il prêt à jouer le rôle de Créateur ? Qui seront les sculpteurs de la nouvelle image de l'être humain, selon quels critères et sur quels modèles ? L'homme a-t-il le droit de modifier son propre patrimoine génétique ?

Le philosophe a mis en garde : "*Face au potentiel quasi eschatologique de notre technologie, l'ignorance des conséquences ultimes est en soi une raison suffisante pour une modération responsable [...]. Un autre aspect mérite d'être mentionné : les enfants à naître n'ont pas de pouvoir [...]. Quelles forces doivent représenter l'avenir dans le présent ?*" (JON AS, H. 1995). Face à cet extraordinaire pouvoir de transformation, Jonas comprend que nous sommes dépourvus de règles modératrices pour ordonner nos actions. Cette énorme inadaptation ne peut être corrigée, selon l'auteur, que par la formulation d'une "nouvelle éthique". En ce qui concerne l'environnement, Jonas considère que "*la responsabilité instituée par la nature, c'est-à-dire celle qui existe par [sa] propre nature, serait indépendante de notre accord préalable. [Il s'agirait d'une responsabilité irrévocable, inamovible et globale*". (JONAS,H. 1995). Il a compris qu'à l'ère d'une civilisation dominée par la technologie, le premier devoir de l'homme serait son propre avenir. Et le respect de l'environnement comme condition "sine qua non" du maintien de la vie humaine y serait déjà clairement contenu. Nous devons donc garder à l'esprit que la vie exubérante et sophistiquée de la planète, qui est le fruit d'une longue période de travail créatif et qui dépend maintenant de l'intervention humaine, exige un nouvel engagement de la part de toute l'humanité pour protéger et préserver un environnement sain.

Avec une perception similaire, Morin et Kern ont parlé de la relation entre l'humanité et la vie planétaire :

"Les minuscules humains sur le minuscule film de la vie qui recouvre une minuscule planète perdue dans un immense univers. Mais en même temps, cette planète est un monde, la vie est un univers palpitant de milliards et de milliards d'individus [...] Notre arbre généalogique terrestre et notre carte d'identité peuvent enfin être connus aujourd'hui, à la fin du cinquième siècle de l'ère planétaire. Et c'est précisément maintenant, au moment où les sociétés dispersées sur le globe communiquent, au moment où le destin de l'humanité se joue collectivement, qu'elles acquièrent un sens pour nous permettre de reconnaître notre patrie terrestre." (MORIN, E. KERN, A.B., 1995)

En effet, la comptabilité économique conventionnelle utilisée par les experts valorise le progrès technique et sous-estime la dégradation de l'environnement, ce qui finit par permettre la mise en œuvre de politiques prédatrices pour l'équilibre écologique. Le système d'évaluation des différentes manifestations de la vie sur la planète est assez précaire et nous n'avons aucune idée du nombre d'espèces de plantes et d'animaux qui disparaissent chaque année à la suite d'actions humaines intempestives. Les interventions destructrices de l'environnement introduites au cours des dernières décennies ont entraîné une réduction des terres agricoles et une pollution incontrôlable de l'environnement. En raison de ces problèmes, les dépenses consacrées aux projets de décontamination des sources d'eau et au traitement de maladies telles que le cancer de la peau, diverses formes d'allergie, l'emphysème pulmonaire, l'asthme bronchique et d'autres maladies respiratoires augmentent (SIQUEIRA, J.E., 1998). L'incapacité d'adapter une technologie non agressive à la vie sensible de la planète modifie une réalité qui dure depuis des millions d'années et engendre la destruction de la couche d'ozone, ainsi qu'un développement humain insatisfaisant, qui s'accompagne de pauvreté et d'inégalité sociale. Il existe donc un lien entre la dégradation de l'environnement et l'injustice sociale. Les chiffres absolus montrent qu'il y a actuellement plus de personnes dans le monde qui souffrent de la faim que jamais auparavant dans l'histoire de l'humanité. Le fossé entre les nations riches et pauvres se creuse et il n'existe pas d'indicateurs satisfaisants pour remédier à cette triste réalité. (Les indices de longévité des Japonais avoisinent les 80 ans, alors que ceux des habitants de l'Afrique subsaharienne n'atteignent pas 50 ans de vie.

En effet, les changements introduits aujourd'hui dans l'environnement sont cumulatifs et les agents responsables de ces transformations ne seront plus là dans les siècles à venir pour répondre de leurs actes. Les générations futures n'ont pas délégué de pouvoirs aux générations actuelles pour ces décisions absconses et n'en récolteront que les fruits amers. La majorité des dirigeants actuels n'assisteront pas aux effets les plus graves des pluies acides, à l'augmentation globale de la température de la planète, à la réduction de la couche d'ozone, à la désertification incontrôlable et à la perte irrémédiable de sa biodiversité. Dans une déclaration publique, alors qu'il était encore président des États-Unis, Barack Obama a averti que la génération humaine actuelle est la première à ressentir les effets néfastes de la dégradation de l'environnement et pourrait être la dernière à adopter des mesures pour sauver la planète d'un désastre aux proportions inimaginables. Donald Trump, l'actuel président américain, pense malheureusement le contraire. Pour lui, le réchauffement climatique est une grande invention de scientifiques désœuvrés.

Nous sommes habitués à vivre avec des problèmes d'une complexité morale limitée qui ne nous permettent guère de comprendre les dimensions inquiétantes des questions éthiques qui se posent aujourd'hui. La technoscience ne voit que le noir et le blanc, alors que l'éthique perçoit le gris et ses différentes nuances. Face à ces questions, Jonas a déclaré : "Du fait de l'échelle inévitablement utopique de la technologie moderne, la distance salutaire entre les questions quotidiennes et les questions extrêmes, entre les occasions qui appellent la prudence ordinaire et les occasions qui appellent la sagesse profonde, se réduit à vue d'œil [...]. Si la nouvelle nature de nos actions exige une nouvelle éthique de la responsabilité à long terme, coextensive à l'étendue de notre pouvoir, elle exige aussi, au nom de cette même responsabilité, une nouvelle forme d'humilité. Une humilité qui n'est pas la même qu'avant, c'est-à-dire qui n'est plus l'humilité face à la petitesse, mais face à la démesure de notre puissance, qui se traduit par la démesure de notre puissance d'agir [...]. Face au potentiel eschatologique de nos processus technologiques, l'ignorance des implications ultimes devient elle-même un motif de retenue responsable [dans nos actions]". (JONAS, H. 1995).

6 LA RESPONSABILITÉ DE L'ACTE DE SOINS INTRINSÈQUE À L'EXERCICE DE LA MÉDECINE :

"Il arrive un moment où il faut renoncer aux vêtements usagés qui ont déjà la forme de votre corps.

et oublier nos chemins qui nous mènent toujours aux mêmes endroits.

Il est temps de traverser et si nous n'osons pas le faire, nous serons restés en marge de nous-mêmes pour toujours. "(PESSOA, F.,2008.)

Emmanuel Levinas, né en Lituanie, a émigré en France où il a étudié la philosophie, approfondissant la phénoménologie avec Husserl et Heidegger. Il a enseigné aux universités de Poitiers, Paris-Nanterre et enfin à Sorbone. Mal à l'aise avec le rationalisme de la modernité, qui privilégie l'exaltation du *"moi"*, *il* se consacre à la réflexion sur l'importance de l'*Autre,* inspirant le courant philosophique connu sous le nom d'"'éthique de l'altérité". Levinas rejette la compréhension du sujet comme monade et tout son projet philosophique doit être compris comme la recherche d'une pensée à partir d'une ouverture qui brise la structure monadique que la modernité a attribuée à l'être humain (LEVINAS, E., 1993). Selon l'auteur, seule la figure de l'*un pour l'autre* offrirait une réponse satisfaisante à la question troublante posée dans le livre de la Genèse, lorsque Dieu demande à Caïn où se trouve son frère Abel et qu'il reçoit une réponse évasive : "Suis-je le gardien de mon frère ? "(LA BIBLE DE JERUSALEM, 2009). Levinas estime que chaque être humain a pour tâche d'être responsable de l'*autre, en* particulier de ceux qui sont socialement plus vulnérables. Selon lui, la communauté humaine ne survivra que si elle se consacre à l'exercice de la fraternité et de la solidarité à l'égard de l'*Autre* souffrant. Le philosophe affirme avec force qu'il n'y a qu'un seul mouvement possible dans la vie de toute personne, c'est de sortir de soi pour aller vers l'*autre.* Ce mouvement exige une générosité radicale, car il s'agit d'aller inconditionnellement à la rencontre de l'*Autre,* sans attendre de récompense pour le mérite de cette action. Levinas affirme que cette action doit être considérée comme "un travail sans rémunération" et que son moteur doit être l'altérité, la représentation la plus complète de l'éthique elle-même. Il réfléchit que ce mouvement doit chercher à dépasser sa propre époque, son propre ego, car l'abandon à l'épiphanie du visage de l'*Autre* caractériserait une fonction non seulement gratuite, mais qui exigerait de ceux qui l'exercent qu'ils "donnent quelque chose". Il s'est interrogé : "*D'où vient ce choc lorsque je passe indifféremment sous le regard de l'Autre* ? Levinas répond : "*La relation avec l'Autre m'interroge, me vide de moi-même et ne cesse de me présenter des possibilités toujours nouvelles de le fréquenter. Non, je me savais si riche, mais je n'ai plus le droit de rien garder [pour moi]*". Selon lui, l'*Autre se* manifesterait dans le visage, comme un être interpellant, le visage parlerait et articulerait le discours primordial nous convoquant à la liturgie de l'abandon inconditionnel. Le visage de l'*Autre s'*imposerait à nous sans que nous puissions rester impassibles à son appel, sans que nous puissions revendiquer l'irresponsabilité de la souffrance qui en découle. Face aux exigences de l'*Autre,* le *Moi* perdrait le droit à l'oubli. Le philosophe ajoute,

"*L'épiphanie de l'Absolument Autre est représentée par son visage qui m'interpelle et m'ordonne de m'occuper de sa nudité, de son indigence. Sa présence [en elle-même] consiste à défaire l'égoïsme même du "je". Ainsi, dans la relation avec le visage [de l'Autre] se dessine le maintien de l'orientation éthique".* (LEVINAS, E., 1993)

Il faut espérer que les professionnels de la santé seront réceptifs à la voix de Levinas et qu'ils pourront s'en inspirer pour soigner leurs patients. La réflexion bioéthique fait également partie de cette feuille de route dans la recherche de l'excellence dans la pratique de la médecine. Dans l'article "Bioethics : Science of Survival", Potter définit la bioéthique comme un instrument à utiliser pour dépasser les limites réflexives exigeantes des disciplines académiques, offrant aux penseurs de nouvelles possibilités de constructions interdisciplinaires qui facilitent la naissance d'une "science pour la survie de l'espèce humaine". (POTTER, V.R.1970).

Dans les sciences de la santé, la nécessité d'humaniser la relation entre le médecin et le patient est proposée depuis longtemps. Dans la seconde moitié du 20e siècle, le clinicien espagnol Pedro Lain Entralgo enseignait que "*le professionnel qui souhaite pratiquer la médecine comme un art doit être formé aux sciences humaines*". (ENTRALGO, P.L.1983)

Dans le contexte de la prise de décision clinique, il y a toujours eu une asymétrie entre le savoir professionnel et la passivité du patient qui accepte sans restriction les conseils suggérés par ceux qui possèdent le savoir technique. Cette condition d'asymétrie relationnelle est devenue connue sous le nom de paternalisme médical et est restée intacte jusqu'à ce que les patients eux-mêmes, insatisfaits du peu d'attention qu'on leur accordait, commencent à assumer la condition d'agents autonomes, capables de prendre des décisions concernant leur propre corps. Dans les discussions cliniques, il n'y avait de place que pour l'obéissance aux normes déontologiques, un territoire de préceptes moraux définis par la corporation médicale elle-même dans ses codes professionnels. Avec un cadre de règles bien défini - qui ne peut être remis en question - les enseignants présentent aux étudiants des règles de conduite médicale à suivre sans qu'il soit nécessaire de prendre en compte les valeurs morales ou les croyances des patients. Ce modèle d'attitude, captif des normes, caractérisait une situation d'immobilité morale qui transformait les professionnels et les patients en otages d'instruments déontologiques qui les obligeaient à rester stationnaires dans la condition inconfortable de l'infériorité morale. Dans ces conditions, il n'était pas rare que de nombreux étudiants considèrent comme un exercice inutile la discussion de cas cliniques impliquant des conflits moraux, arguant qu'il n'y aurait aucune justification plausible à le faire compte tenu de l'obligation d'obéir aux règles contenues dans les codes déontologiques en vigueur. Le modèle d'enseignement cartésien-flexnérien et le paternalisme médical apparaissaient donc comme des outils inadéquats pour former les étudiants à la difficile tâche d'aider les patients et leurs familles à prendre des décisions face à des conflits moraux de plus en plus complexes.

Si le caractère moral de base des étudiants en médecine doit être considéré comme partiellement structuré avant même qu'ils n'entrent à l'école de médecine, il est impératif de reconnaître qu'une partie importante de leur formation éthique peut être acquise et enrichie au cours de la période de licence. Le modèle cartésien a divisé l'unité complexe de l'être humain en éléments de connaissance de plus en plus petits et a confié aux nombreuses disciplines autonomes la tâche de construire le savoir médical. En conséquence, la période d'enseignement académique est devenue un exercice obsessionnel "d'accumulation et d'empilement" d'informations sans le moindre souci de sélection et d'organisation. Pour Morin, l'université formerait des professionnels à la *tête pleine,* alors qu'elle devrait au contraire les préparer à avoir une *tête bien faite,* car plus important que l'accumulation aveugle d'informations scientifiques, il serait fondamental de les organiser par des interactions avec d'autres savoirs, de telle sorte que la connaissance puisse acquérir un sens (MORIN, E., 2001).

Préoccupée par l'avancée extraordinaire des connaissances scientifiques et l'augmentation significative du nombre de disciplines académiques, l'UNESCO a mis en place la Commission internationale sur l'éducation pour le 21e siècle qui, avec la Commission internationale pour la recherche et les études transdisciplinaires, a élaboré le projet CIRET-UNESCO. Dans le document de conclusion des organisations, on peut lire que "la recherche disciplinaire concerne tout au plus un seul niveau de réalité [...] des fragments d'un seul niveau de réalité [...] la transdisciplinarité s'intéresse aux dynamiques générées par l'action de plusieurs niveaux de réalité simultanément [...] se nourrissant de la recherche disciplinaire [...]. En ce sens, les recherches disciplinaires et transdisciplinaires ne seraient pas antagonistes, mais complémentaires". Le rapport final propose un nouveau type d'enseignement universitaire construit sur les bases suivantes : apprendre à connaître, apprendre à faire, apprendre à vivre ensemble, apprendre à être (PROJETO CIRET-UNESCO, 1997).

Au début des années 1970, Andre Hellegers, premier directeur du Kennedy Institute of Bioethics, a déclaré que les problèmes auxquels les médecins seraient confrontés dans les années à venir seraient de plus en plus éthiques et de moins en moins techniques. Le développement extraordinaire de la médecine technologique ne s'est pas accompagné d'une réflexion éthique essentielle, ce qui a conduit Potter à suggérer des critères pour savoir quand **ne pas** utiliser toutes les technologies médicales disponibles pour prendre des décisions cliniques dans les soins aux patients en phase terminale (POTTER, V.R., 1971).

Il est impératif de reconnaître que l'utilisation irréfléchie des progrès technologiques en médecine ne donne pas toujours des résultats satisfaisants et n'est pas exempte de conflits moraux. Un exemple paradigmatique de cette situation s'est produit aux États-Unis en 1989, impliquant un couple infertile qui, dans sa quête de réaliser son rêve d'avoir un enfant, a demandé l'aide d'une clinique de fécondation humaine assistée. La femme, Luanne, souffrait d'une endométriose étendue et ne pouvait pas avoir d'embryon dans son utérus sans que la grossesse ne devienne à haut risque et n'aboutisse à une fausse couche précoce. John, son mari, souffrait d'oligospermie et avait des spermatozoïdes présentant des imperfections anatomiques et fonctionnelles. Ces difficultés initiales ont été surmontées par l'achat de gamètes à des donneurs anonymes, une procédure exemptée de la législation américaine illégale. Ne pouvant accueillir l'embryon issu de la fécondation "in vitro" dans leur propre utérus, le couple a accepté d'engager une femme en bonne santé pour être mère porteuse, en vertu d'un contrat qui stipulait la valeur de 10 000 dollars américains en cas de succès de la grossesse, une condition qui bénéficiait également d'un soutien juridique dans ce pays. Au cours du huitième mois de grossesse, le couple Buzzanca a divorcé et l'accord initial a été contesté par Jonh qui, arguant du fait qu'il n'avait pas de lien biologique avec le produit de la grossesse, a estimé qu'il n'était pas obligé d'assumer la paternité de l'enfant. Le fœtus avait déjà reçu le nom de Jaycee, choisi après que le sexe de l'enfant ait été identifié, cette information ayant été fournie par une échographie abdominale pratiquée sur la mère porteuse dans les premières semaines de sa grossesse. Le désaccord entre John et Luanne s'est transformé en conflit juridique et l'affaire a été portée devant la Cour suprême de Californie. Après la naissance de la petite fille et dans l'attente d'une décision de justice définitive, le juge Robert Monarch a choisi de l'identifier comme "un enfant sans parents définis". Jaycee est restée sous la tutelle de l'État de Californie pendant quatre ans, jusqu'à ce que la décision finale de la Cour suprême de l'État donne gain de cause à Luanne et que, seulement à ce moment-là, son identité parentale soit reconnue. Elle a été reconnue comme la fille de Luanne, tout en sachant que, devant les tribunaux, John, son père sentimental, lui avait refusé la paternité. De plus, Jaycee savait qu'en plus d'être l'objet d'un litige juridique, elle aurait à l'avenir des difficultés à connaître ses parents biologiques, protégés qu'ils étaient par le secret de l'anonymat, condition garantie par un contrat signé entre les donneurs de gamètes et la clinique de fécondation à laquelle le couple avait eu recours pour la procédure. (REVISTA VEJA;1998). Dans le cas décrit, on peut constater que lors de la réalisation de l'acte médical, toute l'attention a été portée sur les intérêts du couple Buzzanca, au mépris de ceux relatifs à l'avenir de Jaycee, fruit de la grossesse ordonnée par ses parents sentimentaux. La Commission italienne de bioéthique, saisie de la question de la fécondation humaine assistée, a émis à juste titre l'avis suivant le 17 juin 1994 : *"Le bien de l'enfant à naître doit être considéré comme le critère central d'évaluation des différentes opinions sur la procréation [...]. En outre, c'est un principe fondamental que la naissance d'un être humain est le résultat d'une responsabilité explicitement assumée avec une pertinence mondiale par ceux qui recourent à la procréation assistée. "*(BERLINGUER, G., 2004).

Si, en revanche, nous considérons la routine quotidienne des soins médicaux, nous conclurons que les symptômes qui amènent le patient en consultation comportent invariablement une part importante d'incertitude, expriment des messages qui doivent être correctement déchiffrés, ce qui oblige le professionnel qui les entend à être prudent dans les recommandations qu'il fait au patient. En outre, les preuves neuroscientifiques indiquent que, face à une maladie, les êtres humains assument une nouvelle condition existentielle qui résulte d'une somme complexe de sensations liées à la réception, à l'interprétation et à la représentation de leurs vulnérabilités personnelles. Cet état a été très bien analysé par Susan Sontag dans son livre "Illness as Metaphor", dans lequel l'auteur décrit l'impact de la maladie sur la vie des gens : "La maladie *est le côté sombre de la vie, une citoyenneté coûteuse. Bien que nous aimions tous n'utiliser que le bon passeport, tôt ou tard, chacun d'entre nous est obligé, au moins pour un temps, de s'identifier comme citoyen de cet autre groupe"* (SONTAG, S., 1984).

On comprend mieux ainsi l'importance de former des professionnels bien préparés dans les quatre domaines de maîtrise proposés par l'Unesco. En d'autres termes, il ne suffit pas qu'ils aient des connaissances théoriques ou des compétences techniques, mais qu'ils sachent *vivre* et *être dans la* communauté qui les entoure. Il est donc nécessaire de reconnaître la pertinence des enseignements de Fernando Pessoa, lorsqu'il affirme dans ses vers qu'il y a un moment où il devient nécessaire d'abandonner les vêtements qui ont déjà pris la forme de nos corps et nous tiennent prisonniers d'un modèle obsolète d'enseignement médical et que nous devons oublier les chemins qui nous mènent toujours aux mêmes endroits et que nous devons oser chercher l'autre rive de nous-mêmes afin d'atteindre l'autre, Comme nous l'enseigne Levinas, c'est la seule façon d'accomplir le précepte hippocratique selon lequel "là où il y a l'amour de l'homme, il y a aussi l'amour de l'art" (CAIRUS, F.H.;RIBEIRO JUNIOR,W.2005)

La croyance de certains que la science a réponse à tout découle d'une vision déformée de la réalité. Nous devons être conscients du fait que les avancées technoscientifiques comportent des risques et des avantages. En médecine en particulier, les risques et les bénéfices sont le dénominateur commun lorsqu'il s'agit d'appliquer les progrès extraordinaires de la médecine et de la thérapeutique militarisées. Il est essentiel de toujours conserver un esprit critique, en reconnaissant qu'il n'est pas judicieux de freiner les progrès de la biomédecine et, en même temps, qu'il n'est pas raisonnable de cultiver un optimisme non critique qui ignore les risques qu'ils comportent.

Il est possible de considérer les connaissances scientifiques comme des faits cumulatifs importants, mais on ne peut pas en dire autant de la construction des valeurs éthiques. L'éthique ne doit pas être considérée comme un simple assaisonnement dans le but de donner une meilleure saveur aux délices présentés sur le menu de la technoscience, mais, au contraire, c'est un ingrédient indispensable pour rendre la nourriture qu'elle produit plus saine pour la consommation humaine. Nous sommes souvent submergés par l'attrait de la technoscience et avons l'illusion que l'accumulation de connaissances suffit à nous rendre heureux et à maîtriser les secrets de la vie. Nous devons tenir compte de la phrase percutante de Nietzche sur le scientisme :

"Vous êtes des êtres froids, qui se sentent encouragés contre la passion et la chimère. Vous voudriez que votre science devienne un ornement et un objet de fierté ! Vous vous affublez de l'étiquette de réaliste et vous laissez entendre que le monde est vraiment fait comme il vous semble." (NIETZCHE, F., 2001).

Empêcher la science d'avancer est tout à fait insensé, inoffensif et strictement contraire à l'essence de la nature humaine, dont l'aspiration sera toujours de construire de nouvelles réalités. Cependant, il n'est pas raisonnable de considérer, comme le proposent certains positivistes, que l'homme de l'ère techno-scientifique doit appliquer les connaissances qu'il a acquises sans aucune forme de contrôle social. Au contraire, Giovanni Berlinguer estime que : *"La vitesse à laquelle nous passons de la recherche pure à la recherche appliquée est aujourd'hui si élevée que la permanence, même pour une courte période, d'erreurs ou de fraudes peut provoquer des catastrophes"* (BERLINGUER, G., 2004)...). Si, d'un côté, nous avons les adeptes du précepte baconien - selon lequel le simple fait de maîtriser un savoir suffit à nous autoriser à l'utiliser de la manière qui nous convient le mieux -, de l'autre, nous pouvons entendre des voix plus prudentes comme celle de Potter, qui définit la bioéthique dans son livre "Bioethics:bridge to the future" : *"Mes connaissances sont limitées, mais je les combinerai avec les connaissances et les opinions d'autres hommes intelligents, inspirés par le sens de l'éthique, et provenant de diverses disciplines, pour ordonner mes convictions et mes augures"* (POTTER, V.R., 1971). Heureusement, entre le "laisser-faire" et la "satanisation" de la technoscience, la voie raisonnable de la prudence nous est offerte. L'essor impressionnant de la technologie médicale a été mal assimilé dans la pratique professionnelle, car de complémentaire, elle est devenue indispensable. La capacité de recueillir des anamnèses éclairantes s'est considérablement réduite, et l'examen physique détaillé est devenu un exercice fastidieux, voire inutile, face à la puissance inépuisable des informations fournies par les équipements. La médecine technologique a modifié la manière de poser le diagnostic et, par conséquent, l'acte thérapeutique. La médecine, à l'origine un art riche de relations intersubjectives, a été réduite à un pauvre artisanat de lecture des variables fournies par les appareils. Nous écoutons sans entendre, parce que nous avons été formés à sous-estimer les expressions de la subjectivité des patients. Les visites dans les services de nombreux hôpitaux universitaires sont devenues une séquence monotone de lecture d'une liste interminable d'examens auxiliaires (KANH, 1988). De même, avec le développement des essais cliniques multicentriques portant sur un grand nombre de patients suivis pendant de longues périodes, on a créé l'illusion que les résultats obtenus devaient devenir le seul guide de la conduite thérapeutique des professionnels de la santé. Or, ce faisant, les médecins ne considèrent pas que ces grands "essais" ne sont pas nécessairement en rapport avec les cas réels auxquels ils sont confrontés dans leur travail quotidien. Il est nécessaire de considérer que ces études révèlent des données statistiques se rapportant à un échantillon de sujets de recherche du monde entier et que la simple transposition des informations de ces études à des contextes particuliers est une grave erreur que les professionnels ne doivent pas commettre (BOBBIO, M., 2014).

En ce qui concerne l'utilisation inadéquate des méthodes de recherche diagnostique, Bernard Lown, l'un des cardiologues les plus renommés du 20e siècle, a décrit que, sur un million de coronarographies effectuées en 1993 aux États-Unis, deux cent mille étaient normales, et a conclu que *"si les directives de son maître, le professeur Samuel Levine, avaient été suivies, peu de patients ayant des artères coronaires normales auraient été soumis à une étude aussi invasive et coûteuse"* (LOWN, B., 1996).

L'unité de soins intensifs (USI) est un autre domaine où la technologie a contribué de manière importante à sauver des vies, mais a également conduit à l'adoption de procédures inappropriées. Il n'est pas nécessaire de souligner les avantages offerts par les nouvelles méthodologies diagnostiques et thérapeutiques, car d'innombrables vies ont été sauvées dans des situations critiques, telles que le rétablissement de patients souffrant d'infarctus du myocarde aigu et/ou de maladies présentant de graves troubles hémodynamiques, dont le rétablissement ne peut être obtenu que par l'utilisation de procédures thérapeutiques ingénieuses. Il se trouve que nos U.I.T. ont également commencé à accueillir des patients atteints de maladies chroniques incurables, présentant les conditions cliniques les plus diverses, qui ont reçu les mêmes soins que les malades en phase aiguë. Alors que ces derniers obtenaient souvent une guérison satisfaisante, les malades chroniques ne se voyaient offrir qu'une survie précaire, souvent limitée à un état végétatif. Dans quelle mesure doit-on considérer qu'il est pertinent d'introduire des procédures technologiques de maintien en vie artificielle pour les patients atteints de maladies incurables ? Les cours de médecine traditionnels sont prodigieux pour enseigner aux étudiants beaucoup de choses sur la technologie de pointe et peu de choses sur le sens transcendant de la vie humaine. (SIQUEIRA, J.E., 2005) Nous avons perdu la capacité de comprendre la dimension de l'enseignement contenue dans l'aphorisme : "la médecine est faite pour guérir parfois, soulager très souvent et réconforter toujours". Les médecins sont éduqués à interpréter la vie comme un phénomène strictement biologique et utilisent toutes les technologies biomédicales pour poursuivre cette vaine utopie. L'obsession du maintien de la vie biologique à tout prix nous a conduits à l'acharnement thérapeutique. Nous sommes donc confrontés à un grave dilemme éthique auquel les médecins des soins intensifs sont confrontés quotidiennement lorsqu'ils doivent décider dans quelles circonstances cliniques il est nécessaire de **ne pas** utiliser toutes les technologies disponibles dans l'unité de soins intensifs.

7 QUELQUES CONSIDÉRATIONS SUR LE THÈME DE LA MORT-TABOU

Curieusement, le magazine "The Economist", l'une des publications internationales les plus respectées dans le domaine de l'économie, a été, ces dernières années, l'organe d'information qui a donné le plus de publicité à des articles sur les soins de fin de vie. En 2010, il a publié un rapport commandé par la Fondation Lien intitulé "Quality of death : the ranking of end-of-life care in the world" (THE ECONOMIST & LIEN FOUNDATION, 2010). Le rapport 2015 a également mis à jour l'indice de qualité de la mort, en prenant en compte le nombre d'unités de soins palliatifs dans le monde (THE ECONOMIST & LIEN FOUNDATION, 2015). Plus récemment, en avril 2017, en partenariat avec la Henry J. Kaiser Family Foundation, *la* revue a publié un nouveau rapport intitulé : "Visions and experiences with medical end-of-life care in Japan, Italy, the United States and Brazil" (THE ECONOMIST & THE HENRY J. KAISER FAMILY FOUNDATION, 2017). Compte tenu de l'importance du rapport 2017, nous mettrons en exergue certaines données qui nous semblent essentielles. L'étude devrait mériter l'attention de tous les professionnels travaillant dans le domaine des soins chroniques et de fin de vie, car elle met en lumière des informations précieuses sur ce domaine complexe des soins médicaux. Dans un premier temps, nous nous intéresserons à l'opinion des patients sur la manière dont ils souhaiteraient être soignés à la fin de leur vie. Nous avons choisi cinq questions qui nous ont semblé les plus emblématiques : 1) "En matière d'assistance et de soins, qu'est-ce qui vous paraît le plus important en fin de vie ?" Les réponses sont les suivantes : a) prolonger la vie le plus longtemps possible : Japon, 9% ; Etats-Unis, 19%, Italie, 13%, Brésil, 50%. b) aider les gens à mourir sans douleur : Japon, 82 % ; États-Unis, 71 % ; Italie, 68 % et Brésil, 42 %. Au Brésil, il est frappant de constater que 50 % des personnes interrogées préconisent de prolonger la vie le plus longtemps possible. Il est possible que cette perception erronée soit liée à l'utilisation inadéquate des lits des unités de soins intensifs et justifie le fait que notre pays soit encore l'un des rares au monde à reconnaître que l'utilisation des soins palliatifs dans les unités de soins intensifs est justifiée. 2.

"Lorsque vous pensez à votre propre mort, que considérez-vous comme extrêmement important ? a) Ne pas laisser votre famille dans une situation financière difficile : 59 % au Japon et 54 % aux États-Unis ; b) être en paix spirituellement : 40 % au Brésil ; c) avoir la compagnie d'êtres chers pendant le processus de mort : 34% en Italie. Il convient ici de souligner l'affirmation "être en paix spirituellement", attribuée à la grande majorité des Brésiliens interrogés. 3." En ce qui concerne la prolongation de la vie le plus longtemps possible (données recueillies uniquement auprès des Brésiliens interrogés, en tenant compte des différents niveaux d'éducation), 51% des personnes ayant un niveau d'éducation élémentaire sont favorables, tandis que 53% des personnes ayant un niveau d'éducation secondaire sont du même avis et seulement 35% des personnes ayant un niveau d'éducation supérieur sont favorables à l'idée de prolonger sans discernement la vie biologique. On peut donc en conclure que les Brésiliens ayant un niveau d'éducation plus élevé préfèrent le soulagement de la douleur et le confort physique et émotionnel à l'alternative d'une prolongation artificielle de leur vie biologique. (4) Mourir avec moins de douleur, d'inconfort et de *souffranceSelon les* autres pays étudiés, 41% des personnes ayant un niveau d'éducation primaire, 40% de celles ayant un niveau d'éducation secondaire et 58% de celles ayant un niveau d'éducation universitaire approuvent la mesure. 5. sur la question de savoir qui doit décider du traitement médical à adopter pour les patients en fin de vie : en moyenne dans les pays, 57% considèrent qu'il s'agit d'une décision qui appartient exclusivement aux patients et à leur famille, tandis que 40% optent pour la conduite définie par les médecins et que 2% ne savent pas quoi répondre. En résumé, la majorité des personnes interrogées au Japon, en Italie et aux États-Unis, lorsqu'elles sont confrontées à des maladies graves et incurables, choisissent de recevoir des soins qui réduisent la douleur et permettent aux membres de la famille d'être à leurs côtés à des moments proches de la fin de la vie, plutôt que des procédures qui prolongent artificiellement la vie. En outre, selon les données de l'enquête, 50 % des Brésiliens, lorsqu'on leur demande leur avis sur leur propre fin de vie, expriment catégoriquement le souhait de rester dans une unité de soins intensifs, alors qu'aux États-Unis, en Italie et au Japon, les taux sont plus bas, entre 9 % et 19 %, avec une prédominance du choix des soins palliatifs et d'une mort sans douleur et sans souffrance. En revanche, au Brésil, seuls 42 % des patients considèrent cette option comme "très importante". L'enquête a également mis en évidence la forte prévalence de la religiosité chez les Brésiliens, comme en témoignent les 40 % d'entre eux qui considèrent qu'il est "extrêmement important" d'être "en paix spirituellement" au moment de la fin de la vie. Huit Brésiliens sur dix (83 %) ont précisé l'importance qu'ils accordent aux convictions religieuses et spirituelles. La statistique la plus remarquable concerne la déclaration des souhaits de ces personnes quant au traitement qu'elles voudraient recevoir à la fin de leur vie. Dans l'enquête, 54 % des adultes brésiliens se sont identifiés comme catholiques et trois sur dix se sont déclarés évangéliques. Le nombre élevé de Brésiliens qui considèrent qu'il est important "d'être spirituellement en paix" face à une mort imminente soulève la question de savoir comment ces soins sont offerts. En revanche, aux États-Unis et au Japon, où le coût des services médicaux est souvent très élevé, la condition de préservation de la sécurité financière de la famille après la mort du patient est importante. En Italie, la plus grande préoccupation exprimée par les patients est de pouvoir compter sur la présence de "leurs proches à leurs côtés" dans les derniers moments de leur vie, suivie de "la certitude que leurs souhaits personnels concernant les procédures médicales adoptées à la fin de leur vie seront respectés". Un fait inquiétant révélé par la recherche, au regard des quatre pays étudiés, est l'absence quasi systématique de dialogue avec les patients sur le sujet de la fin de vie. Au Japon, par exemple, seuls 31% des patients adultes et 33% des plus de 65 ans déclarent avoir eu l'occasion d'aborder le sujet avec un proche, et seuls 7% déclarent en avoir discuté avec leur médecin ; seuls 6% déclarent avoir formalisé leurs directives anticipées, et 64% ne l'ont pas fait, déclarant ne pas être au courant de cette alternative. Avec des résultats similaires, nous signalons une étude réalisée dans un service privé de soins à domicile pour les patients atteints de maladies terminales dans la ville de Florianopolis, qui a fait l'objet d'une thèse de maîtrise présentée au programme de maîtrise en bioéthique de la Pontificia Universidade Catolica do Parana (PUCPR) en 2016. Dans cette étude, le chercheur a évalué le niveau de connaissance des directives anticipées de 55 patients assistés par le programme. Sur le total, un seul patient avait enregistré ses directives anticipées, trois patients ont exprimé leur désir de le faire après avoir eu une conversation sur le sujet avec l'auteur de la recherche, les 51 autres patients ont déclaré qu'ils n'avaient pas eu l'occasion d'en parler (SCOTTINI, M.A., 2016). Il est bien connu que l'enregistrement formel des VAD est faible et varie fortement d'un parent à l'autre. En ce qui concerne les quatre pays étudiés, les résultats obtenus sur le sujet sont les suivants : a) en considérant la population générale : 6% au Japon et en Italie, 27% aux Etats-Unis et 14% au Brésil. b) en tenant compte uniquement de la population âgée de plus de 65 ans : 12% au Japon, 5% en Italie, 51% aux Etats-Unis et 13% au Brésil. Un autre fait mérite réflexion : aux États-Unis, environ 1/3 des personnes décédées après 65 ans ont été admises dans une unité de soins intensifs dans les mois précédant leur décès et 1/5 d'entre elles ont subi une intervention chirurgicale dans le mois précédant leur décès. On estime que d'ici 2020, au moins 40 % de la population américaine mourra à son domicile ou dans une maison de repos pour personnes âgées, sans être accompagnée par sa famille. D'autre part, la situation chaotique des services de santé publique au Brésil, le manque de ressources et d'infrastructures hospitalières adéquates, ainsi que l'insécurité et la désinformation de la population, font prévaloir l'idée que l'orthothanasie, c'est-à-dire le fait de ne pas recourir à des thérapies futiles ou disproportionnées sur des patients atteints de maladies incurables en phase terminale, est considérée comme un abandon de soins ou une omission de l'aide médicale. La méfiance à l'égard de la qualité des services de santé publique du pays favorise cette idée fausse. Au Brésil, 110 services de soins palliatifs sont enregistrés auprès de l'Académie nationale des soins palliatifs (ANCP), tandis qu'aux États-Unis, on compte 1 700 unités. L'absence quasi-totale de contenu sur la fin de vie et les soins palliatifs dans les programmes des cours de santé de premier cycle constitue un autre défi de taille. Une étude publiée dans The Lancet en novembre

2010 a montré des résultats inquiétants concernant les qualifications des diplômés de 2420 cours de médecine dans le monde. Le premier projet pédagogique utilisé par les facultés de médecine au début du 20e siècle, après les réformes proposées par le rapport Flexner, était axé sur l'enseignement dans les hôpitaux tertiaires. Le deuxième modèle, connu sous l'acronyme PBL (Problem Based Learning), conçu dans les années 1970 par les universités de Maastricht et de MacMaster, a été largement accepté dans les cours de santé. Le troisième modèle, qui promet de former des professionnels avec une plus grande responsabilité sociale, identifié comme "Health Education Systems", qui prévoit la formation de médecins inspirés par les principes de l'éthique de l'altérité, manque encore d'initiatives pour sa mise en œuvre. L'étude conçue par vingt éducateurs ayant une grande expérience de la formation médicale et provenant de différents pays du monde, qui faisaient partie des "Commissions The Lancet", avait pour principal objectif de définir le profil de formation professionnelle le plus approprié pour exercer la médecine au XXIe siècle (THE LANCET COMMISSIONS, 2010). La proposition de former un nouveau modèle de professionnel, mieux préparé à prendre des décisions raisonnables et prudentes face aux conflits éthiques complexes qui caractérisent la société contemporaine, marquée par la pluralité morale, occupe encore le territoire des idéaux défendus par des éducateurs expérimentés, qui ne rencontrent cependant pas les intérêts défendus par les institutions universitaires régies par les règles du marché, qui préfèrent former des médecins pour servir le plus grand nombre de patients possible, indépendamment de la qualité du service fourni à la communauté. De cette manière, nous devons malheureusement reconnaître que nous n'avons pas encore atteint l'objectif de former des professionnels préparés à reconnaître les patients comme des êtres biopsychosociaux et spirituels, des personnes qui ont l'autonomie de donner leur avis et de participer activement aux procédures médicales qui seront effectuées sur leur propre corps. Comment donner une formation humaniste à des professionnels qui n'ont même pas reçu de connaissances sur la fin de vie et les soins palliatifs au cours de leurs études de premier cycle ? C'est ce qu'a montré l'étude de

Pinheiro, qui a interrogé des étudiants en médecine de 5e et 6e année dans la ville de Sao Paulo. L'enquête a révélé que 83 % des étudiants n'avaient reçu aucune information sur la prise en charge des patients en phase terminale, 63 % n'avaient reçu aucun contenu sur "comment donner plus de nouvelles", 76 % ont déclaré qu'ils ne connaissaient pas les critères cliniques pour optimiser le traitement de la douleur chez les patients atteints de cancer (PINHEIRO, R.S., 2010). D'autre part, nos universités ont trop mis l'accent sur l'enseignement d'innombrables matières sans établir de lien logique entre elles qui permette aux étudiants de comprendre que, quelle que soit l'affection qui touche un patient, elle concernera toujours l'ensemble de l'univers biopsychosocial de la personne malade. Le découpage du corps humain en organes et en systèmes qui est pratiqué dans la plupart des facultés de médecine fait que les étudiants, et bien évidemment les futurs médecins, sont préparés à traiter des maladies et non des personnes. Edgar Morin est catégorique lorsqu'il affirme que "les développements disciplinaires des sciences n'ont pas seulement apporté les avantages de la division du travail, mais aussi les inconvénients de la surspécialisation, de l'enfermement et du démantèlement du savoir. Ils n'ont pas seulement produit de la connaissance et de l'élucidation, mais aussi de l'ignorance et de l'aveuglement" (MORIN, E., 2001). L'approche pluridisciplinaire naissante introduite dans les facultés de médecine est bienvenue, mais insuffisante pour aborder les problèmes moraux complexes présents dans les situations de fin de vie. En ce qui concerne la finitude humaine, il est essentiel que les disciplines issues de différents domaines de connaissance, tels que la médecine, la psychologie, la théologie, les soins infirmiers et bien d'autres, se parlent, car ce n'est qu'en partageant les connaissances propres à chaque domaine qu'il sera possible de soigner correctement les patients dans la phase terminale de la vie. Seule l'approche interdisciplinaire offrira les moyens d'orienter correctement les décisions à prendre en matière de soins palliatifs (SANTOS, M., 2017). Comme il semble approprié, nous avons récupéré l'expérience du neurochirurgien américain Paul Kalanithi, consignée dans son livre " Le dernier souffle de vie ", qui reproduit la trajectoire de sa vie depuis l'étape " En parfaite santé, je mange " (Partie I) jusqu'à " Ne pas s'arrêter jusqu'à ce que je meure " (Partie II). En 167 pages, l'auteur nous permet de suivre son expérience de la rencontre avec la mort. L'épilogue du livre, écrit par sa femme Lucy après la mort de Paul, contient l'enseignement suivant : *"La décision de Paul de ne pas détourner le regard de la mort résume une force que nous ne célébrons pas assez dans notre culture hostile à la mortalité. L'écriture de ce livre a été l'occasion de nous apprendre à affronter la mort avec intégrité"* (KALANITHI, P., 2016). Pour en revenir à la recherche publiée par The Economist, il nous semble important de souligner certains points concernant les données trouvées dans les quatre pays étudiés. Malgré les différences sociodémographiques et culturelles qui existent entre eux, certains points de convergence méritent d'être soulignés, comme le fait que la majorité des personnes interrogées, quel que soit le pays étudié, considèrent que les soins de santé financés par des initiatives gouvernementales ne sont pas satisfaisants. Un grand nombre de personnes interrogées estiment que les responsables gouvernementaux ne sont pas préparés ou motivés pour promouvoir des mesures appropriées pour les soins aux personnes âgées ou souffrant de maladies en phase terminale. Interrogés sur les traitements considérés comme essentiels pour les soins de fin de vie, la majorité des Japonais, des Italiens et des Américains ont donné la priorité aux thérapies qui réduiraient la douleur et soulageraient les souffrances imposées par la maladie. De même, lorsqu'on les a interrogés sur la finitude de leur propre vie, un consensus expressif s'est dégagé : "vivre bien, autant que possible, à condition que la dignité de la personne soit toujours respectée". En ce qui concerne la planification de la fin de vie, la grande majorité des personnes des quatre pays ont déclaré que la mort était encore considérée comme un "sujet tabou", ce qui constitue le principal obstacle à la discussion. En ce qui concerne l'enregistrement des EIM, les Nord-Américains sont ceux qui se sont montrés les plus favorables à la signature du document.

8 CONSIDÉRATIONS FINALES :

Nous soulignons une fois de plus qu'il n'est pas nécessaire de rappeler les avantages offerts à l'humanité grâce aux avancées technologiques de la médecine moderne. Il suffit de rappeler les informations précises obtenues par la tomographie, l'imagerie par résonance magnétique et la médecine nucléaire, les apports de l'échographie comme méthode de diagnostic, la valeur décisive de la mammographie dans la détection précoce du cancer du sein, les informations détaillées obtenues par l'endoscopie digestive et la coronarographie. D'un point de vue thérapeutique, on peut citer les interventions chirurgicales réalisées par vidéolaparoscopie, les microchirurgies et les interventions chirurgicales mini-invasives à l'aide de la robotique, conditions qui ont rendu la distance entre la réalité et la fiction presque inexistante. Il n'est donc pas nécessaire de vanter les apports de la technologie biomédicale. En revanche, il est essentiel de réfléchir à l'utilisation appropriée de tous ces appareils coûteux. Il nous semble opportun de rappeler les propos lucides du professeur Jose Paranagua de Santana qui, à l'occasion du XXXVIIIe Congrès brésilien de l'éducation médicale, tenu en septembre 2000, a déclaré : *"les progrès scientifiques et technologiques réalisés dans le cadre de la conception flexnérienne, en particulier dans la seconde moitié du XXe siècle, sont une évidence dont il n'y a pas lieu de tenir compte. D'autre part, et sur cet aspect également, il n'y a pas de désaccord, nous avons observé, plutôt qu'une stagnation, une franche détérioration des normes éthiques dans le cadre de la prestation de services médicaux"* (SANTANA,J.P., 2000). Il y a donc un large consensus pour condamner les actions qui aboutissent à une formation trop technique et peu humaniste des professionnels de la santé. Il faut retrouver la confiance originelle qui a toujours imprégné la relation médecin-patient, car ce n'est qu'à cette condition que l'on peut comprendre l'être humain malade dans toute sa richesse et sa complexité.

En bref, le défi auquel nous sommes confrontés est de savoir si nous devons continuer à pratiquer la médecine comme une technique otage d'un arsenal de plus en plus important, ou si nous devons retrouver la perception, la réflexion et la critique dans nos actes professionnels. N'oublions pas non plus que la technologie séduit déjà un énorme contingent de patients qui, bien souvent, ne se font soigner que pour réaliser leur rêve de subir les dernières procédures inventées par la technoscience. La confiance dans les informations fournies par les appareils augmente dans les mêmes proportions que la confiance dans la compétence personnelle du médecin diminue. Allons-nous assister passivement à la déqualification de l'exercice de la médecine en tant qu'art et accepter les médecins comme des marionnettes dociles manipulées par le fondamentalisme techno-scientifique astucieusement parrainé par les grandes entreprises d'équipement médical et les sociétés pharmaceutiques ?

D'autre part, il est impératif de mettre en œuvre des changements culturels qui nous permettent de surmonter le thème de la mort, condition nécessaire pour que les patients atteints de maladies en phase terminale reçoivent des soins palliatifs adéquats, tout en pouvant compter sur la présence physique et le réconfort émotionnel de leur famille, ainsi que sur une assistance spirituelle. Ce n'est qu'ainsi que nous les reconnaîtrons comme des êtres biopsychosociaux et spirituels qui ont le droit de mourir dans la dignité.

RÉFÉRENCES :

BACON, F. *Vie et œuvre.* Sao Paulo, Editora Nova Cultura, 1999.

BERLINGUER, G. *Questions de vie : éthique, science et santé.* Sao Paulo : Hucitec, 1993.

Bioetica cotidiana. Brasilia : Editora UnB, 2004

BIBLE . A.T. Genèse. Dans *La Bible de Jérusalem.* Sao Paulo : Edigoes Paulinas, 1973

BLOOM, A. *Le déclin de la culture occidentale.* Sao Paulo : Best Seller,1989

BOBBIO, M. *O doente imaginado.Sao* Paulo, Bamboo Editorial, 2014

CAIRUS, F.H. RIBEIRO JUNIOR,W. *Textes hippocratiques : le patient, le médecin et la maladie.* Rio de Janeiro : Fiocruz, 2005.

CENTRE INTERNATIONAL DE RECHERCHE ET D'ETUDES TRANSDISCIPLINAIRES *Quelle université pour demain ? A la recherche d'une évolution transdisciplinaire de l'université.* Locarno : Ciret-Unesco, 1997

COMMISSION MONDIALE DE L'ENVIRONNEMENT ET DU DÉVELOPPEMENT. Madrid : Alianza Editorial, 1992.

CORREIO BRAZILIENSE. Brasilia. DF, 21 avril 1997 CORTINA, A. *Ciudadanos del Mundo.* Madrid : Alianza Editorial, 2001. ENDO, P. *Sobre a Violencia : Freud, Hannah Arendt e o caso do mdio Galdino.*

In : ZUGUEIB Neto,J.(org.) *Identidade e Crises Sociais na Contemporaneidade,* Curitiba : UFPR, 2005.

ENGELHARDT , T. *Principes fondamentaux de la bioéthique.* Sao Paulo : Loyola, 1998

ENTRALGO,P.L. *La relation medico-enfermo.* Madrid : Alianza Editorial, 1983.

FREUD, S. *Mas alla del Principio del Placer.* Madrid : Biblioteca Nueva, 1981.

GARRAFA, V. PORTO, D. *Bioetica, poder e injustiga:por uma ética de Intervenão.* In : Bioéthique, *pouvoir et injustice.* Sao Paulo : Loyola, 2003.

GREISCH, J. *De la gnose au Principe Responsabilite : un entretien avec Hans*

Jonas. Paris : Esprit, 1991.

HOTTOIS, G. *El paradigma bioetico:una etica para la tecnociencia.* Barcelone : Antthropos, 1991.

HUSSERL, E. *La idea de la fenomenologia:problemas fundamentales de la fenomenologia.* Madrid : Alianza Editorial, 1994.

JONAS, H. *El Principio Responsabilidad : ensayo de una etica para la civilization tecnologica.* Barcelone : Herder, 1995.

KALANITHI, P. *Le dernier souffle de vie.* Rio de Janeiro : Sextante, 2016

KANH,KL *The use and misuse of upper gastrointestinal endoscopy.* Ann Intern Med, v.109, p. 664-670, 1988.

KANT, I. *Textes choisis.* Petropolis : Vozes, 1985.

LEOPOLDO E SILVA, F. *De l'éthique philosophique à l'éthique de la santé.* In : *Initiation à la bioéthique.* Brasilia : CFM, 1998.

LEVINAS, E. *L'humanisme de l'autre homme.* Petropolis : Vozes, 1993.

LOWN, B. *L'art perdu de la guérison.* Sao Paulo : JSN, 1996.

MORIN, E. *El metodo : la naturaleza de la naturaleza.* 3. éd. Madrid : Catedra, 1993.

La tête bien faite. Rio de Janeiro : Bertrand Brasil, 2001 MORIN, E. KERN, A.B. *Terra- Patria.* Porto Alegre : Sulina, 1995 NIETZCCHE, F. *A Gaia Ciencia.* Sao Paulo : Companhia das Letras, 2001. NOZICK, R. *Anarchy, State and Utopia.* New York : Basic Books, 1974. PESSOA, F. *Livro do desassossego,* Sao Paulo : Edigao de bolso, 2008. PIKETTY, T. *Capital in the 21st Century.* Rio de Janeiro : Intnnseca, 2014.

PINHEIRO, R.S. *Avaliação do conhecimento sobre cuidados paliativos em estudantes de medicina do quinto e sexto anos.* Mundo da Saude 2010 ; 34 (3) : 320-26

POPPER, K. *Logique de la recherche scientifique.* Sao Paulo : Cultrix, 1972.

POTTER, V. R. *Bioethics;Science of Survival.* Persp Biol Med, v. 14, p.127153,1970.

Bioéthique : un pont vers l'avenir. New Jersey : Englewood
Cliffs, Prentice Hall, 1971.

Global Bioethics : building on the Leopold legacy (Bioéthique mondiale : construire sur l'héritage de Leopold). Michigan : East Lansing, Michigan State University Press, 1988.

PRIGOGINE, I. *La fin des certitudes.* Sao Paulo : Unesp, 1996.

PROJET CIRET-UNESCO *Evolution transdisciplinaire de l'Université : Quelle université pour demain ? A la recherche d'une évolution transdisciplinaire de l'Université.*Lugano:UNESCO, 1997.

REVISTA VEJA. Section éthique. 4 février 1998.

SANTANA, J.P. *Le paradoxe de l'enseignement médical.* Boletim ABEM, v.28, n.4 sep./dec.2000.

SANTOS, M. *Bioéthique et humanisation en oncologie.* Brasilia : Elsevier ;2017

SCHRAMM, F. KOTTOW, M. *Principios bioeticos en Salud Publica : limitaciones y propuestas.* Cadernos de Saude Publica, v.1, n.4, 2001 SCOTTINI, M. A. *Advance Directives of Will in patients under home hospitalization at a Medical Cooperative in Florianopolis,* Curitiba. Mémoire de maîtrise PUCPR ; 2016

SEN, A. *Éthique et économie.* Sao Paulo : Companhia das Letras, 1999 *L'idée de justice.* Sao Paulo : Companhia das Letras, 2011

SIQUEIRA,J.E. *Etica e tecnociencia:uma abordagem segundo o Principio Responsabilidade de Hans Jonas.* Londrina : UEL, 1998.

. *Réflexions éthiques sur les soins en fin de vie.* Bioetica, v. 13, n.2, p.37-50, 2005.

SONTAG, S. *La maladie comme métaphore.* Rio de Janeiro : Edigoes Graal, 1984.

THE ECONOMIST & LIEN FOUNDATION, *The Quality of death Raakiag end-of-life care access the World* ,2010

THE ECONOMIST &LIEN FOUNDATION , *The Quality of death Raakiag end-of-life care access the World (La qualité des soins de fin de vie Raakiag dans le monde),* 2015

THE ECONOMIST & THE HENRY J. KAISER FAMILY FOUNDATION,

Vision et expérience des soins médicaux en fin de vie au Japon, en Italie, aux États-Unis et au Brésil : Une enquête internationale. Avril 2017

THE LANCET COMMISSIONS, 2010 *Health professionals for a new century : transforming education to strengthen health* systems in an interdependent world (Les *professionnels de la santé pour un nouveau siècle : transformer l'éducation pour renforcer les* systèmes de *santé* dans un monde interdépendant). The Lancet 2010;6736 (10)

61854-5

TOFFLER, A. *Le choc du futur.* Rio de Janeiro : Artenova, 1973.

WEBER, M. *Science et politique : deux vocations.* Sao Paulo : Cultrix, 1980.

. *L'éthique protestante et l'esprit du capitalisme.* Sao Paulo : Cengage Learning, 2008.

Index